Corrupcionario
MEXICANO

Corrupcionario
MEXICANO

La corrupción de ellos, de nosotros y de todos

Primera edición: septiembre, 2016
Primera reimpresión: septiembre, 2016
Segunda reimpresión: noviembre, 2016

Coordinadores: Alejandro Legorreta y Gustavo Rivera Loret de Mola
Diseño de portada e interiores: Pico ADWords, S. A. de C.V.

www.megustaleer.com.mx

Corrupcionario

MEXICANO

Grijalbo

CONOCÍ A ALEJANDRO HACE POCO y de inmediato hubo una empatía mutua. Comenzamos a platicar sobre México, el lugar donde vivimos y somos padres, y de lo mucho que quisiéramos transformarlo. Al poco rato empezó a contarme sobre el proyecto de Opciona y el *Corrupcionario mexicano*, y ambas ideas me parecieron oportunas y muy pertinentes.

Hace unas semanas me encomendó la tarea de escribir este prólogo y acepté gustoso. Ha resultado un ejercicio de autocrítica interesante. Es un trabajo muy bien logrado y que trae "jiribilla". Me reconozco en este libro y no sé si me encanta la idea.

La primera vez que ojeé una maqueta de este trabajo me reí mucho y me encontré disfrutando con la ironía y el sarcasmo de las definiciones de términos y frases que llevo escuchando toda mi vida. Pero ahora que me acerco a este material otra vez, la resonancia y el eco que me deja me producen una frustración y una suerte de desaliento. Esto confirma el exitoso resultado de este libro.

El humor y la sátira han sido siempre el mejor vehículo para la crítica y la reflexión, como aquellos aforismos dolorosos e ingeniosos que se encuentra uno siempre en el trabajo del maestro Monsiváis, o los cartones penetrantes y puntiagudos de Rocha y Helguera, que decían todo lo que no se podía poner en palabras sobre los lamentables años noventa en nuestro país. Qué decir de Trino y sus Fábulas de Policías y Ladrones. Siempre ha sido efectivo abordar a través de la sátira los temas penosos y bochornosos de nuestra historia. El teatro de carpa es otro buen ejemplo. Siempre la risa como ablandador de carne para que entre el cuchillo.

Hablar de corrupción no es cosa fácil. Es imposible no terminar alarmados y hasta ofendidos cuando nos damos cuenta de cómo hemos asimilado este concepto; cómo lo hemos hecho parte de nosotros, al punto que cuando hablamos de México, la corrupción parece pieza fundamental para definirnos y entender cómo funcionan las cosas en nuestro país.

Buscando el significado de la palabra *"corrupción"* en el Diccionario de la Real Academia Española, encontré: "Corrupción: acción y efecto de corromper o corromperse [depravar, echar a perder, sobornar a alguien, pervertir, dañar]". Siempre me he considerado "pervertible" pero no un pervertidor; sí un poco depravado, quizá, pero eso de hacer daño me preocupa. La palabra proviene del latín y se compone de la combinación de dos palabras: "romper" y "corazón". Poniéndonos románticos, esto resulta muy grave. Reconocer que somos corruptos equivale a aceptar que estamos rotos por dentro y que hay que enmendar nuestro corazón para poder relacionarnos otra vez con el prójimo.

Hace no mucho un amigo decía en una cena: "Ya basta de quejarnos de los políticos y de hablar de ellos como si pertenecieran a otra especie. Hace falta hacer política para cambiarla desde adentro". Me quedé pensando y creo que tiene toda la razón: hay que involucrarse y ejercer la "ciudadanía", que a mi forma de entender

también es hacer política y es pieza clave para que la cosa funcione.

Pero ¿cómo ejercerla si no estamos dispuestos a medirnos con la misma vara que medimos a la clase política? Coincido con los que dicen que la corrupción es un problema sistémico, un problema derivado de las acciones y decisiones diarias de millones de mexicanos. Si bien el presidente Peña se equivocó al llamarlo un problema cultural —grave cosa, porque habría que acabar con nuestra cultura para erradicar el problema—, sí creo que es un asunto de educación y convivencia; la ignorancia y la indiferencia se manifiestan una vez más como las enfermedades sociales más peligrosas que nos aquejan.

Hemos llegado incluso al punto de justificarnos (nosotros que no somos políticos), diciendo que nuestras acciones de corrupción son un acto de venganza y justicia en respuesta a las estructuras corruptas que hoy rigen en nuestro país. Cuántas veces no han escuchado o dicho ustedes mismos: "Yo no pago impuestos, ¿para qué? ¿Para que se los roben?". Hace falta actuar en nuestro día a día como nos gustaría ver a nuestros políticos trabajando, sólo así sentaremos un precedente y podremos exigir que nuestros representantes lo hagan también.

Leyendo el *Corrupcionario* entre risas agridulces, me encuentro pensando en esas dos palabras: "corazón" y "romper". Es hora de empezar esa nueva relación entre nosotros utilizando las herramientas que tenemos para recuperar nuestro país, para reencontrarnos ya con el corazón enmendado y para vivir en una sociedad más incluyente: Una sociedad donde podamos dejar de hablar de respeto y empecemos a hablar de convivencia, donde celebremos al prójimo y su existencia, donde la desigualdad y la impunidad no sean términos que utilicemos todos los días. Hoy debemos comenzar por lo que sí podemos controlar, por lo que está a nuestro alcance (que es mucho). Nuestro ejemplo en casa es vital, así como la solidaridad que mostramos con nuestros compañeros de trabajo, nuestra relación con el vecino y la vecina, cómo manejamos en el tráfico, cómo tratamos a la gente que nos brinda un servicio... En fin, tú me entiendes.

Las palabras y el lenguaje son un reflejo social. Busquemos un reflejo que nos haga sentir más orgullosos. Alejandro y el equipo de Opciona dedicaron meses de trabajo e investigación para entregarnos este libro. Deja que las definiciones y las ilustraciones que encontrarás aquí te hagan reír y, sobre todo, reflexionar, para entonces empezar a actuar. Ojalá nuestros hijos (aunque, siendo realista, serán nuestros nietos) abran el *Corrupcionario* para ver cómo hablaban sus abuelos en las épocas donde la corrupción se encontraba en todos lados. Ojalá ellos vean esto como parte de un pasado que ya no los representa, un reflejo que ya no es el suyo.

¡Sírvete a disfrutar pues, del *Corrupcionario mexicano!*

Diego Luna

Introducción

QUERIDO LECTOR, ¿ALGUNA VEZ sentiste la impetuosa necesidad de colocar en el buró un solemne y pesado diccionario para devorar antes de dormir páginas de vocablos acomodados alfabéticamente? Nosotros tampoco. De ahí que ahora te estés preguntando: ¿por qué, entonces, tengo en mis manos esta obra cuando podría estar hojeando *100 años de soledad* o ya de perdida *El Libro Vaquero*? La razón es sencilla. A diferencia de las rebuscadas palabras de las enciclopedias que nadie dice nunca, las que hemos seleccionado para ti en este *Corrupcionario mexicano* son de un uso tan cotidiano que hasta ponen la piel chinita.

Hicimos un compendio de 300 palabras asociadas a un fenómeno tan internalizado en nuestra sociedad como lo es la corrupción, para ponerles nombre y apellido a situaciones, personajes y acciones terribles que, maquillados por la cotidianidad, nos parecen normales. Llamarle pan al pan, vino al vino y corrupto al corrupto es, a la vez, el primer paso para desnormalizar y borrar la resignación con la que permitimos la corrupción en las altas esferas de la política y la vida pública —"corrupción de ellos"—, pero también la que generamos, toleramos y fomentamos en nuestra vida diaria, de este lado de la barda —"corrupción de nosotros"—, y la que hacemos en conjunto —"corrupción de todos"—. La corrupción —la de ellos, de nosotros, de todos— no "la hacemos todos" ni es cultural; es un problema sistémico que se construye sobre la base de conductas repetidas y cotidianas.

Obviamente, dada nuestra legendaria tradición nacional de reinventar el lenguaje, el *Corrupcionario mexicano* no pretende agotar ni monopolizar (¡ni que fuéramos Pemex!) todo el palabrerío relacionado con la corrupción en México. Habrá sin duda muchas expresiones o situaciones que no aparezcan aquí, por lo que te invitamos a colaborar con nuevas palabras en nuestro sitio *web:* <www.corrupcionario.mx>.

Antes de comenzar —perdonarás, lector, la burocracia—, es importante aclarar tres asuntos.

Primero, las definiciones del *Corrupcionario mexicano* no son una larga lista de ocurrencias surgidas durante horas bebiendo con amigos, sino el producto fino, bien pensado y acabado de una investigación que incluyó 16 grupos de enfoque, un análisis de gabinete, una investigación etnográfica y una encuesta representativa a escala nacional que realizamos con el objetivo de entender bien a bien la manera en que los mexicanos vivimos, entendemos y hablamos de corrupción cotidianamente (véase la ficha metodológica).

Segundo, el *Corrupcionario mexicano* no es un intento de reinterpretar conceptos, sino de definirlos en el contexto de la corrupción en México. Por tanto, hallarás términos que en principio son neutros (por ejemplo, *burócrata* y *espacio público*) o positivos *(democracia electoral* y *desarrollo social),* así como otros que contienen derechos de todos los mexicanos *(aguinaldo* y *presunción de inocencia).* Nuestro objetivo es describir y evidenciar su relación con la corrupción en México, no sugerir que son ejemplos o referencias de corrupción en este país.

Tercero, el *Corrupcionario mexicano* no está exento de errores y omisiones ni pretende ser la verdad absoluta. Sin embargo, lo que sí es un hecho incontrovertible es que depende de nosotros, los ciudadanos, exigirle al gobierno que combata la corrupción en sus entrañas, al tiempo que cumplimos con nuestras obligaciones, trabajamos para fortalecer a las instituciones y fomentamos la honestidad en círculos inmediatos, como la familia, la escuela y el trabajo.

Así que pásele a lo barrido, a este bestiario de objetos, rituales y predicamentos tratados con un enfoque informal, desenfadado y —esperamos— divertido, como todas aquellas cosas que nos matan de risa porque son tremendamente ciertas en esta inagotable fuente de surrealismo que es nuestro querido México. Recordando que una sociedad informada, organizada y participativa es la base de la democracia y el motor de la libertad.

Alejandro Legorreta
Presidente de Opciona

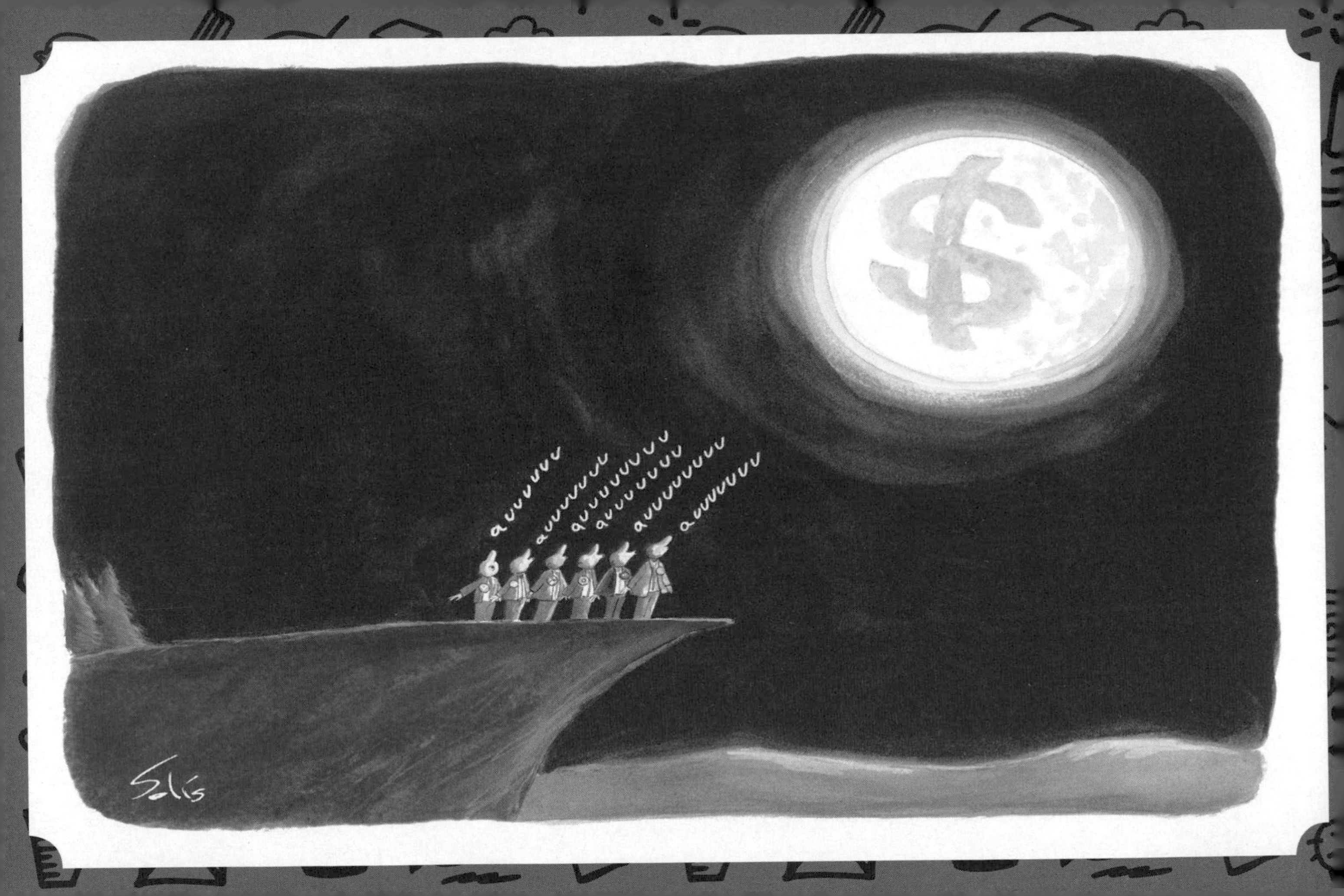
auuuuuu
auuuuuuu
auuuuuuuu
auuuuuuu
auuuuuuuu
auuuuuuu
Solís

Capítulo 1: La corrupción de Ellos

ADUANA

PASAJE ENTRE DOS PUNTOS, TIPO "ARMARIO EVANESCENTE" (LEYERON O VIERON HARRY POTTER, ¿VERDAD?) UBICADO EN ÁREAS FRONTERIZAS, PUERTOS Y CIUDADES IMPORTADORAS Y EXPORTADORAS DE MERCANCÍAS, DONDE LA ENTRADA Y SALIDA DE ALIMENTOS, TEXTILES, ARMAS, DROGAS, AUTOMÓVILES Y HASTA PERSONAS SUELE DEPENDER DE CÓMO TRATE$ A LO$ AGENTE$.

AGUINALDO

CIERTO, ES UN DERECHO DE TODOS LOS MEXICANOS. SIN EMBARGO, TAMBIÉN ES LA LANITA QUE A FIN DE AÑO LE CAE COMO TANQUE DE OXÍGENO A UN TRABAJADOR, POR GRACIA Y OBRA DEL MÚSCULO SINDICAL. IDEALMENTE, LA BILLETIZA RECIBIDA GIRA EN TORNO AL ESFUERZO REALIZADO. A MENOS QUE EL INDIVIDUO EN CUESTIÓN SEA DIPUTADO O SENADOR, EN CUYO CASO EL ESFUERZO MÁXIMO CONSISTIRÁ EN LEVANTAR EL DEDO Y ESTIRAR LA MANO PARA ACCEDER A UN JUGOSO CHEQUE DE VARIOS CEROS. POR SI TE PREGUNTABAS, EL MONTO DEL REGALITO SUELE SER INVERSAMENTE PROPORCIONAL AL DESEMPEÑO DEL LEGISLADOR (VÉANSE *DIPUTADO* Y *SENADOR*).

ASOCIACIÓN PÚBLICO-PRIVADA

ASOCIACIÓN DE GRAN EFICACIA PARA HACER BISNES CON EL GOBIERNO Y MEDIANTE LA CUAL UNA PARTE DE LOS SERVICIOS RESPONSABILIDAD DEL SECTOR PÚBLICO SON SUMINISTRADOS POR EL SECTOR PRIVADO BAJO UN CLARO ACUERDO DE OBJETIVOS COMPARTIDOS, COMO EL REPARTO DE COMISIONES, LA FACILITACIÓN DE VACACIONES EN LA RIVIERA MAYA Y LA DESAPARICIÓN DE PAGOS ADELANTADOS PARA OBRAS PÚBLICAS. EJEMPLOS DE ESTAS ASOCIACIONES HAY MUCHOS; SÓLO VEAN LA PRESUNTA OJETADA QUE UNA HONORABLE CONSTRUCTORA LIGADA A EMPRESARIOS ESPAÑOLES Y MEXICANOS FRAGUÓ CON LA PRESUNTA AYUDADITA DE UN GÓBER Y UN SECRETARIO DEL GABINETE PRESIDENCIAL (VÉANSE *BISNES* Y *GÓBER*).

AVERIGUACIÓN PREVIA

SI ALGUNA VEZ VISTE UNA, FAVOR DE COMUNICARTE AL 5658-IIII; REPITO: 5658-IIII, PARA QUE LA POLICÍA LA REGISTRE CON SU MÁQUINA DE ESCRIBIR INVISIBLE.

AVIADOR(A)

EMPLEADO O EMPLEADA DEL ESTADO QUE SE GANA Y MANTIENE SU PUESTO GRACIAS A SU AMISTAD O PARENTESCO CON ALGÚN POLÍTICO PESADO (DE LOS LLAMADOS "LÍDER", "GALLO", "TIGRE" Y HASTA "CHINGÓN"). SU TRABAJO CONSISTE EN APARENTAR QUE TRABAJA, SIN SIQUIERA APARECERSE POR SU LUGAR DE TRABAJO. PRUEBA DE QUE EN MÉXICO GANA EL MÉRITO.

@mareoflores

BURÓCRATA

ESPÉCIMEN NACIDO Y CRECIDO EN EL CAUTIVERIO DE UNA OFICINA GUBERNAMENTAL (VÉASE TAMBIÉN *GODÍN* EN EL DICCIONARIO TAXONÓMICO DE CARLOS DARGÜIN). SU DIETA ES RICA EN VITAMINA T Y EXPERIMENTA UN ENORME PLACER AL HACERTE ESPERAR HORAS EN LAS VENTANILLAS DE TRÁMITES, TAN SÓLO PARA DECIRTE QUE TE HACEN FALTA COPIAS Y DOS FOTOGRAFÍAS TAMAÑO INFANTIL, DE TRAJE Y EN PAPEL FOTOGRÁFICO CON ACABADO MATE. SIEMPRE. AUNQUE LOS HAY BUENOS Y BIENINTENCIONADOS, LO MÁS FRUSTRANTE DE ESTAS CRIATURAS ES QUE SUELEN ADVERTIRTE CON SOSPECHOSA CORDIALIDAD QUE CUALQUIER TRÁMITE "SE AGILIZA" ACEITANDO SU MANO CON UN BILLETITO (VÉASE *ACEITAR LA MANO*).

CABILDEO

ACTO DE CUALQUIER SEUDOEMPRESARIO O GRUPO DE ÉSTOS (VÉANSE *EMPRESAURIO* Y *BISNERO*) PARA CONVENCER A QUIENES REPARTEN EL QUESO NACIONAL DE QUE NO AFECTEN O, MEJOR AÚN, FAVOREZCAN SUS –NO SIEMPRE LEGÍTIMOS– INTERESES. PARA ELLO PUEDEN VALERSE DE TRIQUIÑUELAS VARIAS, COMO PATROCINAR VIAJES VIP AL EXTRANJERO, CENAS DE CAVIAR Y CHAMPÚ, UNA QUE OTRA CASITA E INCLUSO GUSTITOS EXÓTICOS (VÉASE *MONTANA*).

CANDIDATURA INDEPENDIENTE

VEHÍCULO PARA QUE INTELECTUALES ORGÁNICOS, CELEBRIDADES Y POLÍTICOS QUE FUERON EXCLUIDOS DE LOS PROCESOS DE SELECCIÓN DE CANDIDATOS EN LAS FRANQUICIAS PERSONALES...PERDÓN, EN LOS PARTIDOS POLÍTICOS, "SE LANCEN" POR UNA ALCALDÍA, UNA GUBERNATURA O YA DE PERDIDA UNA DIPUTACIÓN. AUNQUE FUERON LA SENSACIÓN DURANTE EL VERANO DE 2015, ES SUMAMENTE PROBABLE QUE, COMO LAS CANCIONES DE BELINDA, DENTRO DE POCO QUEDEN EN EL OLVIDO DE LA NACIÓN. LÁSTIMA, PORQUE PODRÍAN CONVERTIRSE EN UNA BOCANADA DE AIRE FRESCO PARA NUESTRA CONSTIPADA DEMOCRACIA.

CASA BLANCA

IMPONENTE EX MANSIÓN DE LA PRIMERA DAMA, QUIEN, CON EL SUDOR DE SU FRENTE, AHORRÓ MILLONES DE PESOS DURANTE DÉCADAS PARA UN DÍA PROCLAMARSE INDISCUTIBLEMENTE COMO "LA DUEÑA". LOS ENVIDIOSOS –HACIENDO CASO OMISO DE LA CONTUNDENTE EXPLICACIÓN QUE OFRECIÓ NUESTRA PINSHI DIOSA GALATZIA– DIRÁN QUE SU MARIDO TUVO ALGO QUE VER CON LA COMPRA, PUES QUIEN PRESTÓ EL BILLULLO PARA QUE LA DUEÑA SE ARMARA DEL INMACULADO CANTÓN SE HA BENEFICIADO POR MUCHO TIEMPO DE CONTRATOS CON EL GOBIERNO.

CERESO

CENTRO DE READAPTACIÓN SOCIAL O, YA EN SERIO, TAMBO DE RECLUSIÓN Y HACINAMIENTO DE PRESUNTOS CULPABLES Y DELINCUENTES PROBADOS. SI BIEN SU ADMINISTRACIÓN ES RESPONSABILIDAD DE LAS AUTORIDADES (LEGALES), SU GOBIERNO SUELE ESTAR EN MANOS DE LAS AUTORIDADES (CRIMINALES). DICEN LAS MALAS LENGUAS QUE EN ELLOS ES MÁS FÁCIL CONSEGUIR MOTA Y PERICO QUE AUDIENCIA CON UN JUEZ, Y QUE SI HAY MOTINES COMO LOS DE APODACA Y TOPO CHICO ES PORQUE LOS COLCHONES SON MUY INCÓMODOS. EN TIEMPOS RECIENTES, TAMBIÉN HAN SIDO IDENTIFICADOS COMO CENTROS DE ENTRENAMIENTO PARA DELINCUENTES DE ALTO RENDIMIENTO.

CASINERO

APODO CARIÑOSO QUE SE DA A LAS PERSONAS QUE OPERAN CASINOS ILEGALMENTE CON EL APOYO DE SERVIDORES PÚBLICOS, INSPECTORES Y HASTA JUECES. ¿TE ACUERDAS DEL SEÑOR DE LOS QUESOS Y LA TRAGEDIA DEL CASINO ROYALE? PUES COMO ESOS ENREDADOS.

CHAPULÍN

MIEMBRO DE LA "CLASE" POLÍTICA QUE SUFRE DE DALTONISMO ELECTORERO CRÓNICO, POR LO QUE NO DISTINGUE COLORES Y CAMBIA DE PARTIDO COMO DE CALCETINES. TIENE UN CORAZÓN TAN GRANDE QUE ES CAPAZ DE ALBERGAR TODO TIPO DE "PRINCIPIOS". UN DÍA PUEDE AMANECER AZUL, OTRO ROJO, EN UN FUTURO QUIZÁ AMARILLO Y HASTA NARANJA. TODO SE VALE EN TANTO SE ESTÉ DISPUESTO A DECIR QUE LAS "CIRCUNSTANCIAS CAMBIAN" O QUE "LO QUE IMPORTA ES EL PROYECTO". EN POCAS PALABRAS, UN VIVIDOR PAGADO CON NUESTRA LANA.

@mareoflores

CHAYOTE

LA PRINCIPAL FUENTE DE ALIMENTACIÓN DE LOS "PERIODISTAS" MÁS CERCANOS AL PODER. RICO EN VITAMINAS PARA LOS AUTORES, PERO LLENO DE CHATARRA PARA LOS LECTORES. ¡CHALE!

CHIAPASIÓNATE

ACRÓNIMO DE LOS TÉRMINOS *SINVERGÜENZA* Y *PARTIDO VERDE*. AUNQUE EL PIOJO HAGA BERRINCHE Y DIGA OTRA COSA.

CHOTA

HORDA DE HOSTIGADORES DE BEBEDORES SOCIALES, MARIGUANEROS RECREATIVOS Y CONDUCTORES AVENTURADOS. SI BIEN LOS HAY BUENOS Y DEDICADOS, LA MAYORÍA SE DISTINGUEN POR SER OJETES MALINTENCIONADOS (VÉASE *POLICÍA*).

CLASE POLÍTICA

NO TIENEN CLASE NI HACEN POLÍTICA, AL MENOS NO EN BENEFICIO DE LA CIUDADANÍA. SIN EMBARGO, ASÍ NOS REFERIMOS A LA CASTA DIVINA DE PERSONAJES IMPRESENTABLES QUE SE OSTENTAN COMO REPRESENTANTES POPULARES, PERO QUE SE DEDICAN A DEJAR AL ERARIO MÁS DESPLUMADO QUE UN GUAJOLOTE EN NOCHEBUENA. COMO EN TODO, HAY EXCEPCIONES; PERO, LA NETA, SON LAS MENOS. ¡CHALE!

CNTE

GRUPO "DEMOCRÁTICO" DE "MAESTROS" QUE FUNGIÓ COMO GOBIERNO DE FACTO DEL ESTADO DE OAXACA ENTRE 1992 Y 2015, Y QUE PUSO PATAS PA'RRIBA AL AHORA EXTINTO DEEFE AL PROTESTAR POR UNA REFORMA QUE LOS OBLIGA A SER EVALUADOS, PERO QUE ES PERCIBIDA COMO UNA REFORMA LABORAL IMPUESTA A TRABAJADORES QUE NO ESTÁN TODOS EN LAS MISMAS CONDICIONES (LOS PROFESORES RURALES NO TIENEN ACCESO A LAS CAPACITACIONES QUE SÍ TIENEN LOS DE LA CIUDAD DE MÉXICO, POR EJEMPLO). Y ES QUE EN ESTE CASO HAY MÁS DE UN RESPONSABLE. TANTO PECAN LOS LÍDERES SINDICALES QUE DURANTE DÉCADAS DESVIARON MILLONES DE PESOS DEL PRESUPUESTO DESTINADO A LA EDUCACIÓN Y VIOLENTARON LA PAZ DE LAS ENTIDADES DONDE SE MOVILIZARON, COMO LAS AUTORIDADES ESTATALES Y FEDERALES QUE SACARON RAJA POLÍTICA DEL MOVIMIENTO.

COMENTOCRACIA

ENDOGÁMICO SECTOR DE LA POBLACIÓN (OSÉASE QUE SE HABLAN, SE JUNTAN Y SE LEEN ENTRE ELLOS) DISPUESTO A DISCUTIR HASTA CUÁNTAS CANAS TIENE EL PRESIDENTE CON TAL DE HACERLO CON CAFECITO Y EN LA TELE O EN ALGÚN PERIÓDICO DE CIRCULACIÓN NACIONAL. SI BIEN PUEDEN AYUDAR A ENTENDER EL ACONTECER POLÍTICO NACIONAL, CUANDO CHOREAN DE MÁS SUELEN DEJAR A SUS LECTORES Y TELEVIDENTES MÁS CONFUNDIDOS QUE EL JUEZ DE MISS UNIVERSO.

COMISIÓN LEGISLATIVA

UN VIEJO DICHO NOS RECUERDA QUE, "SI QUIERES QUE ALGO NO SE RESUELVA, CREA UNA COMISIÓN LEGISLATIVA" #YASÍ.

CONFESIÓN

LA PRUEBA REINA, LA MÁS PERRONA E INCONTROVERTIBLE DE LOS MINISTERIOS PÚBLICOS Y JUZGADOS MEXICANOS. NO IMPORTA SI FUE OBTENIDA MEDIANTE TORTURA, SI EL "CONFESADO" SE CONTRADIJO DE PRINCIPIO A FIN O SI SU MEMORIA ES TAN FOTOGRÁFICA QUE LEVANTA SOSPECHAS. TODO SEA EN ARAS DE CONOCER "LA VERDAD HISTÓRICA" DE LOS HECHOS.

CONFLICTO ENTRE PARTICULARES

FRASE DE MODA DEL GOBIERNO FEDERAL DURANTE LA TEMPORADA PRIMAVERA-VERANO 2015. SI REVISAS LAS MEJORES REVISTAS DE TENDENCIAS, DESCUBRIRÁS QUE LO QUE CAUSÓ FUROR DURANTE AQUELLOS MESES FUERON LOS AIRES SILENCIADORES Y AUTORITARIOS CON COLORES INTOLERANTES Y VENGATIVOS. ¡POSE, POSE, POSE!

CONGRESO

ESPACIO SIMULADO DE REPRESENTACIÓN FINANCIADO POR LOS CONTRIBUYENTES PARA QUE DIPUTADOS Y SENADORES ACUDAN ESPORÁDICAMENTE A TOMARSE *SELFIES* EN LA TRIBUNA. ENTRE SUS ATRACTIVOS, DESTACAN LAS COMISIONES INVISIBLES, LAS AGENCIAS DE VIAJES VIP, LOS ELEFANTES BLANCOS Y LAS MESAS DE PÓKER DONDE, OH, SORPRESA, LA CASA SIEMPRE SALE GANANDO. SE LES OLVIDA QUE TAMBIÉN ES EL RECINTO DONDE SE REDACTAN LEYES PARA EL BIENESTAR DE TODOS LOS MEXICANOS.

CONSENSO

MÉTODO DE VOTACIÓN DE LEYES PREFERIDO POR LA PARTIDOCRACIA MEXICANA DURANTE EL CRETÁCEO DEL PRIRREINATO... Y EL ACTUAL SEXENIO. SE CARACTERIZA POR SUS ALTAS DOSIS DE NEGOCIACIONES EN LO OSCURITO Y SUS BAJAS DOSIS DE DEBATE PARLAMENTARIO (VÉASE *PACTO POR MÉXICO*). NO POR NADA SU EFICACIA ES LA ENVIDIA DE REGÍMENES TAN HONORABLES Y AUTORITARIOS COMO LA REPÚBLICA POPULAR DEMOCRÁTICA DE COREA (DEL NORTE) Y EL REINO WAHABÍ DE ARABIA SAUDITA.

CONSULTOR

AUNQUE ALGUNOS SÍ PERSIGUEN LA CHULETA CON TODAS LAS DE LA LEY, POR LO GENERAL LOS HAY DE DOS TIPOS: AQUELLOS QUE FUERON PARTE DE LA ALTA TECNOCRACIA Y AHORA SE DEDICAN A "ASESORAR" AL SECTOR PRIVADO PARA HACER BISNES CON EL GOBIERNO, Y AQUELLOS QUE ASESORAN A LOS GOBIERNOS PARA ASEGURARSE DE QUE NUNCA VIVAN EN EL ERROR –FUERA DEL PRESUPUESTO–. TODO ESTO A CAMBIO DE JUGOSOS PAGOS Y COMISIONES PROVENIENTES DE… ¡NUESTROS IMPUESTOS!

CORPORATIVISMO

TÉCNICA SIMPLISTA PERO EFICAZ PARA ACOMODAR A LOS MEXICANOS EN CUATRO HUACALES –EL CAMPO, EL OBRERO, EL POPULAR Y EL EJÉRCITO– QUE POCO TIENEN QUE VER CON NUESTRA REALIDAD ACTUAL. NO OBSTANTE, DURANTE MÁS DE 70 AÑOS FUE SUFICIENTE PARA MANTENERNOS VOTANDO RELIGIOSAMENTE POR LOS CANDIDATOS DEL "PARTIDO OFICIAL", POR MÁS IMPRESENTABLES QUE FUERAN.

CORTINA DE HUMO

VARITA MÁGICA DE LOS POLÍTICOS PARA OCULTAR LA VERDAD DESVIANDO LA ATENCIÓN DE LA POBLACIÓN HACIA TEMAS DE MENOR RELEVANCIA. ¿TE ACUERDAS DEL ESCÁNDALO DE LA PACA Y LA OSAMENTA DE LA FINCA EL ENCANTO QUE SE DESATÓ (COINCIDENTEMENTE, CLARO) EN PLENA INVESTIGACIÓN SOBRE LA CORRUPCIÓN DEL HERMANO INCÓMODO DEL EX PRECISO? ¡Y YO QUÉ SÉ DÓNDE VA, DÓNDE VIVE, Y TODO ESTÁ MAL!

CRUZADA CONTRA EL HAMBRE

CRUZADA MEDIEVAL PARA COLONIZAR COMUNIDADES VULNERABLES EN ÉPOCA DE ELECCIONES. EN OCASIONES, AL PARECER HA SERVIDO PARA ALIMENTAR A ALGUNAS FAMILIAS EN SITUACIÓN DE POBREZA; EN OTRAS, SÓLO HA SIDO PRETEXTO PARA TOMARSE LA SELFIE CON LAS DOÑAS "BENEFICIADAS".

(La verdadera mesa de la verdad)

DEDAZO

PRÁCTICA PARTIDISTA-ELECTORAL CARACTERÍSTICA DEL PERIODO CLÁSICO DEL PRIATO, EN LA QUE UNA MANO NO SANTA (LA DEL PRECISO, GENERALMENTE) SEÑALA[¿BA?] QUIÉN ES EL BUENO O LA BUENA PARA TAL O CUAL ELECCIÓN, PARA OCUPAR UN CARGO EN EL GOBIERNO O GANAR ALGUNA LICITACIÓN.

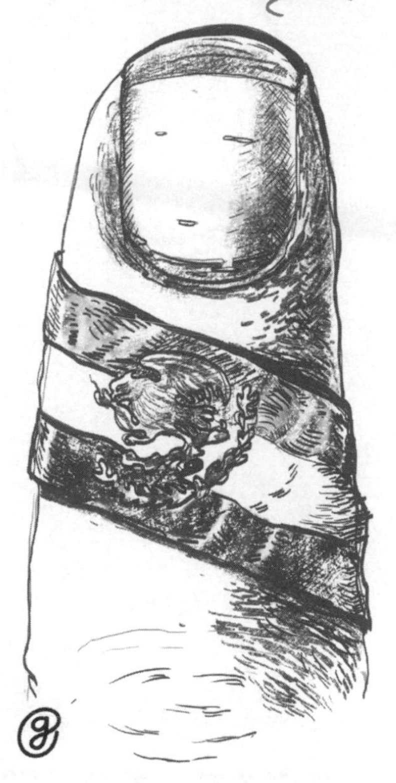

"DEFENDERÉ EL PESO COMO UN PERRO"

DICHO DE UN FAMOSO EX PRESIDENTE MEXICANO QUE, TRAS SEIS AÑOS DE GASTO PÚBLICO CORRUPTO E IRRESPONSABLE, PROMETIÓ PROTEGER LAS FINANZAS PÚBLICAS CON TODO SU SER Y HASTA CON LAGRIMITA DE POR MEDIO. EL RESTO (Y LA CRISIS) ES HISTORIA.

DELFÍN

PINTORESCA MANERA DE REFERIRSE AL "CANDIDATO" PREFERIDO DEL GÓBER EN TURNO, POR EL CUAL ESTE ÚLTIMO SUELE ESTAR DISPUESTO A DESVIAR RECURSOS PÚBLICOS PARA "ACEITAR LA MAQUINARIA", CARGAR ASAMBLEAS A FIN DE "AMARRAR LA NOMINACIÓN" Y FACILITAR LA COBERTURA MEDIÁTICA PARA QUE AQUÉL O AQUÉLLA SEA "EL MÁS ADELANTADO EN LAS ENCUESTAS". TODA UNA LINDURA DE NUESTRA EXOTIQUÍSIMA FAUNA POLÍTICA (VÉASE *GÓBER*).

DEMOCRACIA ELECTORAL

ES EL PROCESO MEDIANTE EL CUAL ELEGIMOS LIBREMENTE A NUESTROS GOBERNANTES EN LAS URNAS. PERO EN REALIDAD ES COMO SI LOS PARTIDOS JUGARAN TURISTA CADA TRES O SEIS AÑOS. CADA VEZ QUE HAY ELECCIONES SE LE DA UNA NUEVA VUELTA AL TABLERO PARA QUE CAIGAN LOS APOYO$... AH, Y SI ERES UN CIUDADANO COMÚN Y CORRIENTE ES CASI IMPOSIBLE QUE TE DEJEN JUGAR, AUNQUE TÚ Y TODOS NOSOTROS PAGUEMOS POR EL TABLERO Y POR TODO LO QUE HAY EN ÉL.

DESAFUERO

AL MENOS EN MÉXICO, SE REFIERE AL ACTO DE OBLIGAR A UN POLÍTICO EN FUNCIONES A ENFRENTAR LA JUSTICIA COMO EL RESTO DE LOS MORTALES, CON TODO LO QUE ESO IMPLICA. LÁSTIMA QUE EL EJEMPLO MÁS CÉLEBRE DE ESTE URGENTE ANTÍDOTO CONTRA LA IMPUNIDAD DE LA CLASE POLÍTICA SEA EL GROTESCO EPISODIO EN EL CUAL UN PRECISO PUSO TODA LA FUERZA DE LA PROCURADURÍA AL SERVICIO DE CHINGARSE AL CANDIDATO PRESIDENCIAL MÁS ADELANTADO EN LAS ENCUESTAS. AHORA QUE, SI SE TRATA DE QUE NO QUEDE TÍTERE SIN CABEZA, CABE RECORDAR QUE ESTE GROTESCO EPISODIO TAMBIÉN SE CONVIRTIÓ EN EL PRETEXTO PERFECTO PARA *HAJERSE* LA VÍCTIMA E INICIAR UNA TEORÍA CONSPIRATIVA *MÁJ* GRANDE QUE LOS PINOS.

DESAPARICIÓN FORZADA

CUANDO UN AGENTE DEL ESTADO (POR EJEMPLO, UN POLICÍA O UN MILITAR) PRIVA DE SU LIBERTAD A UNA PERSONA (O, LO QUE ES PEOR, LA ASESINA) PERO DESPUÉS NIEGA LOS HECHOS PARA DEJARLA INDEFENSA ANTE LA LEY. LO MÁS TERRIBLE ES QUE ESTE DELITO CONSTITUYE UNA DE LAS PEORES VIOLACIONES A LOS DERECHOS HUMANOS. PARADÓJICAMENTE, EN SENTIDO ESTRICTO NADIE "DESAPARECE", SALVO QUE TE LLAMES JULIO CÉSAR Y TE APELLIDES GODOY TOSCANO.

DESARROLLO SOCIAL (GASTO EN)

EL DESPERDICIO MÁS GRANDE DE RECURSOS PÚBLICOS EN LA HISTORIA DE MÉXICO. DESDE 1994 SE HAN GASTADO MÁS DE 20 BILLONES DE PESOS EN ESE RUBRO (SÍ, BILLONES, CON 12 CEROS, DOCE: 000 000 000 000). EN 2016 TENEMOS LA MISMA PROPORCIÓN DE PERSONAS EN POBREZA QUE EN AQUEL FATÍDICO AÑO. APLAUSOS.

DESFALCAR

DEJAR EL ERARIO MÁS VACÍO QUE EL ESTADIO 3 DE MARZO EN UN JUEGO TECOS-ATLANTE.

ANTONIO GARCI NIETO

La corrupción de Ellos

DESVÍO DE RECURSOS

¿TE ACUERDAS DE CUANDO TU JEFA TE MANDABA A LA TIENDA Y EN VEZ DE REGRESARLE EL CAMBIO TE LO GASTABAS EN LAS MAQUINITAS? BUENO, PUES ALGO ASÍ, SÓLO QUE SE HACE DESDE EL GOBIERNO, CON LANA DE TODOS NOSOTROS, Y QUIEN SE QUEDA CON LOS CAMBIOS SON LOS GOBERNANTES CORRUPTOS QUE EN LUGAR DE JUGAR MAQUINITAS PAGAN CAMPAÑAS POLÍTICAS, ASIGNAN CONTRATOS A SUS CUATES O SIMPLEMENTE USAN NUESTRO DINERO EN COSAS QUE NADA TIENEN QUE VER CON LA TAREA DE GOBERNAR.

DEUDA PÚBLICA

TARJETA DE CRÉDITO DE LA CLASE POLÍTICA QUE ACABAMOS PAGANDO TODOS, AUNQUE NO HAYAMOS VISTO NI UN TRISTE BACHE REPARADO CON ESA LANA.

DIPUTADO

SI FUERA CLASE DE ZOOLOGÍA, PODRÍAS PENSAR QUE ES UN ZÁNGANO. SIN EMBARGO, SE TRATA DE UN MIEMBRO DEL ESPACIO SIMULADO DE REPRESENTACIÓN MÁS GRANDE DE NUESTRA DEMOCRACIA: EL CONGRESO. LOS HAY DE MUCHAS CLASES, COMO LOS QUE GUSTAN DE LA COMPAÑÍA DE CHICAS DE LA VIDA GALANTE: *DIPUTABLES* (VÉASE, OTRA VEZ, *MONTANA*); LOS QUE NO SON TAN INTELIGENTES: *DIPUTARADOS*; LOS QUE SE LA PASAN TAN A GUSTO COMO LEGISLADORES QUE SE AUTONOMBRAN *DIPUTAMADRE*; INCLUSO EXISTEN LOS QUE BUSCAN HACER SU CHAMBA, PERO NADIE LOS PELA: LOS *DIPUTAISLADOS*, ENTRE OTRAS SUBESPECIES.

EJECUCIÓN EXTRAJUDICIAL

SEGURAMENTE HABRÁS ESCUCHADO LA FRASE "¡MÁTENLOS EN CALIENTE!" PUES, BUENO, ESTA APORTACIÓN DE PORFIRIO DÍAZ AL AMPLÍSIMO BASURERO DE LA HISTORIA MEXICANA COBRA VIGENCIA HOY, CUANDO UN POLICÍA, MILITAR O CUALQUIER OTRA AUTORIDAD DEL ESTADO DECIDE QUE LA MEJOR MANERA DE ACABAR CON LA RABIA ES MATAR AL PERRO. QUÉ MÁS DA SI ESO IMPLICA PASARSE POR EL ARCO DEL TRIUNFO DOCENAS DE TRATADOS Y LEYES QUE PROTEGEN LOS DERECHOS HUMANOS. ¿O ACASO NO SABÍAS QUE LOS DERECHOS HUMANOS SON PARA LOS HUMANOS, NO PARA LAS RATAS?

"EL QUE SE MUEVE NO SALE EN LA FOTO"

AUNQUE EL PRECISO ACTUAL PARECE DISENTIR, SE TRATA DE UN USO Y COSTUMBRE DEL PERIODO CLÁSICO DEL PRIATO QUE SIGNIFICA: "QUIEN NO SE CUADRA, VALE MADRE". CABE MENCIONAR QUE LA CÉLEBRE FRASE FUE ACUÑADA POR UNA MOMIA...PERDÓN, POR UN LÍDER SINDICAL QUE DURÓ EN SU CARGO MÁS AÑOS QUE EL CUBANO FIDEL CASTRO.

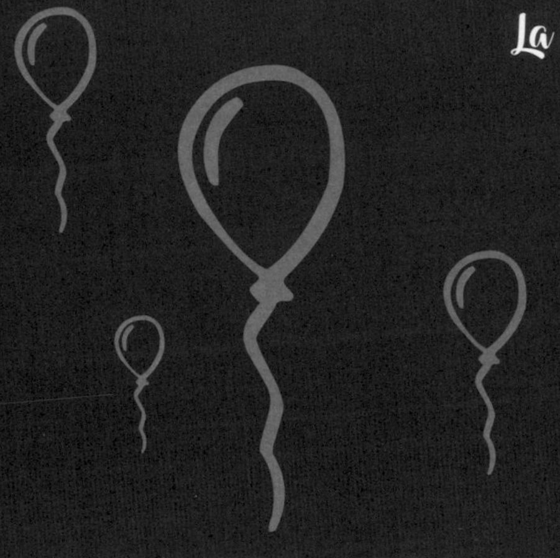

EMBARAZO DE URNAS

EN EL PRINCIPIO DIJO EL PRI: "NOMÁS LA PUNTITA". LA URNA LO MIRÓ A LOS OJOS Y LE DIJO: "BUENO, PERO LA PUNTITA NOMÁS". YA LUEGO CON LA "ALTERNANCIA" SE PUSO DE MODA EL EMBARAZADERO Y TODOS LOS PARTIDOS POR IGUAL HAN ECHADO SUS CANITAS AL AIRE.

ENCUESTA ELECTORAL

MEDIO DE AUTOENGAÑO DE LOS POLÍTICOS. TODOS PAGAN PARA "VER QUIÉN LA TIENE MÁS GRANDE" Y, CURIOSAMENTE, ¡AL PRINCIPIO TODOS LA TIENEN! UNA VEZ QUE PASAN LAS ELECCIONES, LA FANTASÍA SE LES CAE Y CULPAN A LOS ENCUESTADORES, A LOS QUE DESPUÉS QUIEREN REGULAR. PIENSA EN TU AMIGO EL MALACOPA QUE EN LAS FIESTAS SE PONE HASTA ATRÁS, PRESUME SU DINERO, TERMINA EN UNA SITUACIÓN POCO AGRACIADA Y AL DÍA SIGUIENTE CULPA AL ALCOHOL "ADULTERADO" DE SUS DESMANES.

ENRIQUECIMIENTO ILÍCITO

¿QUE GANA 30 000 PESOS AL MES PERO TIENE 13 DEPARTAMENTOS EN MIAMI? ¿QUE ES LÍDER SINDICAL PERO SU HIJO COLECCIONA FERRARIS? ¿QUE DURANTE SU GOBIERNO PASÓ DE AGRICULTOR A DUEÑO DE RANCHOS, PRESAS Y POZOS? ¿QUE A TRAVÉS DE SUS PRESTANOMBRES TIENE UNA CASOTA EN ACAPULCO, DEPARTAMENTOS EN LA COSTA DORADA Y RANCHOS EN TEXAS? ¿QUE EL "HERMANO INCÓMODO" TIENE GUARDADOS VARIOS MILLONES DE DÓLARES EN SUIZA? ¿QUE ÉL Y SUS HIJOS SE COMPRARON UNOS DEPAS EN EL CONDOMINIO MÁS EXCLUSIVO DE MANHATTAN? A ESAS Y OTRAS LINDURAS SE REFIERE EL ENRIQUECIMIENTO ILÍCITO, CORTESÍA DE LA IMPUNIDAD Y DEL PROVERBIAL "NO QUIERO QUE ME DEN, SINO QUE ME PONGAN DONDE HAY". Y SÍ, TODO A COSTA DE TUS IMPUESTOS.

"EL AÑO DE HIDALGO, CHINGUE A SU MADRE EL QUE DEJE ALGO"

FRASE BUROCRÁTICA QUE SE REPITE CADA SEIS AÑOS Y QUE ES LA SEÑAL DE SALIDA PARA ROBAR DE MANERA DESCARADA ANTES DE QUE TERMINE EL SEXENIO.

"ESA VOZ DE LA GRABACIÓN NO ES MÍA. ES DECIR, SÍ SOY YO, PERO NO ES MI VOZ"

UNA DE TANTAS FRASES CÉLEBRES DE UN EX GÓBER PRECIOSO QUE, ANTE LAS ACUSACIONES QUE LO SEÑALABAN COMO CÓMPLICE DE UNA RED DE PEDERASTIA, QUISO TAPAR EL SOL CON UN DEDO.

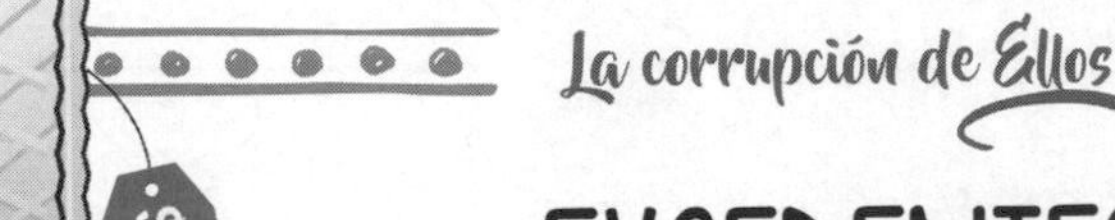

ESTELA DE LUZ

TAMBIÉN CONOCIDA COMO "LA SUAVICREMA", ES UNA CONSTRUCCIÓN SITUADA EN EL PASEO DE LA REFORMA DE LA CIUDAD DE MÉXICO QUE COSTÓ OCHO VECES SU PRESUPUESTO INICIAL. POR ESO APARECE EN WIKIPEDIA COMO "MONUMENTO A LA CORRUPCIÓN". NETA, BÚSCALO.

EXCEDENTES PETROLEROS

MANERA MAMONA DE REFERIRSE AL BOTÍN DE 91 766 MILLONES DE DÓLARES QUE LOS GOBIERNOS ESTATALES SE REPARTIERON ENTRE 2001 Y 2014 POR CONCEPTO DE VENTA DE PETRÓLEO A PRECIOS EXORBITANTES EN MERCADOS INTERNACIONALES. LO BUENO ES QUE EL DINERO SIRVIÓ PARA ACABAR CON LA POBREZA, REDUCIR LA DESIGUALDAD, RECUPERAR LA PAZ Y HASTA GANAR EL MUNDIAL. ¿O QUÉ NO?

EXPROPIACIÓN

DESPLANTE AUTORITARIO DE UN GOBIERNO PARA APROPIARSE DE UNA EMPRESA O PROPIEDAD PRIVADA SO PRETEXTO DE PROTEGER LA SOBERANÍA NACIONAL, SALVARNOS DE UNA CRISIS ECONÓMICA O CONTROLAR UNA "INDUSTRIA ESTRATÉGICA". ¿TE ACUERDAS DE ATENCO, XOCHICUAUTLA, LA SUPERVÍA Y LA NACIONALIZACIÓN DE LA BANCA? ¿NO TE SUENAN? BÚSCALOS EN GOOGLE.EN SERIO, BÚSCALOS.

FEDERALISMO

LA ORGANIZACIÓN POLÍTICA DEL ESTADO MEXICANO, EN LA QUE LOS ESTADOS DE LA FEDERACIÓN SE MANTIENEN UNIDOS MEDIANTE UN PACTO QUE LES PERMITE GOBERNAR SIN PAGAR EL COSTO POLÍTICO DE RECAUDAR IMPUESTOS, RECIBIENDO MILES DE MILLONES DE PESOS DE "PAPÁ GOBIERNO FEDERAL", EJERCIENDO LOS RECURSOS PÚBLICOS CON TOTAL OPACIDAD, ENDEUDÁNDOSE MÁS QUE TU MADRINA EN NAVIDAD, DEJÁNDOLE AL EJÉRCITO Y LA MARINA LA TAREA DE COMBATIR AL CRIMEN ORGANIZADO, Y CON LA POSIBILIDAD DE ECHARSE LA BOLITA CADA VEZ QUE SURGE UN PROBLEMA. ¡SIMPLEMENTE GENIAL!

FIDEICOMISO

EL COCHINITO DE LAS FINANZAS PÚBLICAS MEXICANAS, UTILIZADO POR GOBERNADORES Y PRESIDENTES MUNICIPALES PARA FINANCIAR PROYECTOS PRODUCTIVOS COMO SUS CAMPAÑAS ELECTORALES, SUS CASAS EN ACAPULQUIRRI Y MIAMI, SUS VACACIONES EN LA RIVIERA MAYA O LAS PRESAS DE SUS RANCHOS. LOS FIDEICOMISOS, COMO LOS VAMPIROS, PREFIEREN PERMANECER EN LA OSCURIDAD PARA CHUPAR A GUSTO LA SANGRE DE NUESTROS IMPUESTOS.

FISCALÍA ANTICORRUPCIÓN
LA PRIMERA INSTITUCIÓN DEL GATOPARDISMO EN MÉXICO.
(Comisión Nacional Anticorrupción)
(corruptos)

FISCALIZACIÓN DE GASTOS DE CAMPAÑA

VARITA MÁGICA QUE SIRVE PARA: 1) REVESTIR DE "LEGALIDAD" EL GASTO ILEGAL (¡OH, PARADOJA!) QUE MUCHOS CANDIDATOS REALIZAN EN CAMPAÑA; 2) HACER REÍR A LOS CANDIDATOS GANADORES; 3) PROVOCARLES URTICARIA A LOS CANDIDATOS PERDEDORES, Y 4) DAR SUSTENTO A LAS FAMILIAS DE LOS CONTADORES DE LA UNIDAD DE FISCALIZACIÓN DEL INE. SI NO FUERA POR ESTO ÚLTIMO, SERÍA UN DESPROPÓSITO TOTAL.

FOBAPROA

FATÍDICO EPISODIO DE LA HISTORIA MODERNA DE MÉXICO. LAS MALAS LENGUAS ASEGURAN QUE FUE UN COCHUPO PARA CARGARLES A LOS CONTRIBUYENTES UNA MULTIMILLONARIA FACTURA QUE NO LES CORRESPONDÍA PAGAR, PERO LA NETA ES QUE, SIN ESE FONDO BANCARIO DE PROTECCIÓN AL AHORRO –QUE EN REALIDAD ES UN SEGURO PARA QUE LOS AHORRADORES ESTÉN PROTEGIDOS ANTE LAS CRISIS ECONÓMICAS–, LA CRISIS DERIVADA DEL "ERROR DE DICIEMBRE" (¡AH, PA' ERRORCITO!) HABRÍA DEJADO A MILLONES DE MEXICANOS SIN UN PESO EN EL BANCO. LÁSTIMA QUE, FIELES A LA MUY MEXICANA TRADICIÓN DE BUSCAR NEGOCIAZOS HASTA EN LAS PEORES TRAGEDIAS, HUBO BISNEROS QUE APROVECHARON PARA COMPRAR YATES Y DIVERSIFICAR EL RIESGO DE SUS "INVERSIONES". SI NO NOS CREEN, PREGÚNTENLE AL DIVINO (VÉANSE *BISNERO* Y *NEGOCIAZO*).

FONDO DE MOCHES

SI EL PRESIDENTE FUERA UN LADRÓN Y EL CONGRESO UN PERRO GUARDIÁN (POR SUPUESTO, EN UN MUNDO HIPOTÉTICO DE POLÍTICA FICCIÓN), EL FONDO DE MOCHES SERÍA EL HUESO QUE EL LADRÓN LE DA AL PERRO PARA QUE SE DISTRAIGA MIENTRAS ÉL ENTRA A ROBAR LA CASA CON TODA TRANQUILIDAD. LO MALO ES QUE LA CASA ES MÉXICO, EL DUEÑO DE LA CASA SOMOS TODOS LOS MEXICANOS Y EL HUESO PARA DISTRAER AL PERRO ANUALMENTE SON ALREDEDOR DE 12 000 MILLONES DE PESOS QUE FORMAN PARTE DEL PRESUPUESTO DE EGRESOS DE LA FEDERACIÓN. ¿O ACASO CREÍAS QUE LAS VOTACIONES CASI UNÁNIMES A FAVOR DEL PRESUPUESTO QUE VEMOS ANUALMENTE SON PRODUCTO DE LA BUENA VOLUNTAD Y LA VISIÓN DE ESTADO DE NUESTROS LEGISLADORES?

FUERO

POR INCREÍBLE QUE PAREZCA, ES UNA PRERROGATIVA DE DIPUTADOS, SENADORES Y OTROS FUNCIONARIOS PÚBLICOS QUE IMPIDE QUE SEAN JUZGADOS PENALMENTE MIENTRAS ESTÁN EN FUNCIONES. POR ESO ANDAN CHAROLEANDO Y HACIENDO LO QUE SE LES HINCHA EL FUERO (VÉASE *CHAROLEAR*).

GÓBER

APELATIVO CARIÑOSO CON QUE SE DESIGNA A LA HORDA DE BOTARGAS ESPECIALIZADAS EN HACER BISNES DESDE EL GOBIERNO, ENCUBRIR POLICÍAS QUE TRABAJAN PARA EL CRIMEN ORGANIZADO Y CULPAR A LOS CIUDADANOS POR DELITOS DE LOS CUALES SON VÍCTIMAS. NO IMPORTA SI SUS FECHORÍAS SE EXHIBEN A LO LARGO Y ANCHO DE LA REPÚBLICA: SON MÁS INTOCABLES QUE TUS VACACIONES DE SEMANA SANTA. CIERTO, HAY UNO QUE OTRO BUENO, PERO TE APOSTAMOS A QUE LOS CUENTAS CON EL DEDO CHIQUITO DE TU MANO IZQUIERDA.

"HAIGA SIDO COMO HAIGA SIDO"

FOLCLÓRICA FRASE ACUÑADA POR UN EX PRECISO PARA RESTREGARNOS SU CUESTIONADO TRIUNFO ELECTORAL. TAMBIÉN PODRÍA CONSIDERARSE UNA TROPICALIZACIÓN DE LA FAMOSA MÁXIMA DE MAQUIAVELO: "EL FIN JUSTIFICA LOS MEDIOS".
¡AY, GOEY!

Mire usted, la razón por la que utilicé el helicóptero de la Secretaría para ir a Las vegas fue por una emergencia médica de su servidor. Por cierto que las muchachitas que me acompañaron son mis enfermeras...
Y si debo algo, se lo cobran de lo que gané en la ruleta.
Patricio.

HELICÓPTERO

MEDIO DE TRANSPORTE PREFERIDO DE GÓBERS, CANDIDATOS, PRESIDENTES DE PARTIDO Y ALGÚN EX COMISIONADO DEL GABINETE AL QUE SE LE HACEN AGUA LAS EXPLICACIONES (ES DECIR, PERSONAJES QUE NO PAGAN POR VOLAR EN ELLOS CON DINERO DE SUS BOLSILLOS). QUIZÁ EL MÁS CÉLEBRE SEA EL LLAMADO "HELICÓPTERO DEL AMOR", DONDE UN EX GÓBER DE MORELOS LLEVABA A PASEAR A SU NOVIA, LA HIJA DE UN FAMOSO NARCOTRAFICANTE. ¡POS, OYE, ERA NIÑA *NAIS*!

HOY NO CIRCULA

POLÍTICA AMBIENTAL Y DE MOVILIDAD URBANA DEL GOBIERNO DE LA CIUDAD DE MÉXICO. DESDE SU INSTAURACIÓN, EN 1989, HA SIDO TAN EFECTIVA COMO EL CRUZ AZUL EN LAS FINALES DEL FUTBOL MEXICANO.

HUESO

RMA POPULAR DE REFERIRSE AL PUESTO PÚBLICO QUE, A PESAR DE HABER SIDO ASTICADO YA POR MUCHOS ROS (EN SENTIDO FIGURADO, DE LUEGO), SIGUE TENIENDO RNITA. PRINCIPIO Y FIN DEL SEO DE TODO POLÍTICO. ¡NO : ACABES, PAPÁ GOBIERNO! (VÉASE *VIVIR FUERA DEL PRESUPUESTO ES VIVIR EN EL ERROR*).

JUANITO(A)

FARSA MONTADA POR LOS POLÍTICOS PARA PEDIRTE QUE VOTES POR UN CANDIDATO QUE MESES DESPUÉS SERÁ SUSTITUIDO POR ALGUIEN MÁS. LO MÁS IRÓNICO ES QUE LA CAUSA ORIGINAL DE LA EXISTENCIA DE LA JUANITEADA ERA "CUMPLIR CON LA LEY".

"LA MORAL ES UN ÁRBOL QUE DA MORAS (Y SIRVE PARA UNA CHINGADA)"

DICHO DEL AFAMADO CACIQUE POTOSINO GONZALO N. SANTOS, QUIEN TAMBIÉN FUE GOBERNADOR DE SU ESTADO. CONOCIDO POR SUS CÉLEBRES FRASES Y SU ENORME PODERÍO, SE CONVIRTIÓ EN SÍMBOLO DE AUTORIDAD MORAL (¿FRUTAL?) DENTRO DEL PARTIDO OFICIAL, PERO EMBLEMA DE CORRUPCIÓN POLÍTICA PARA LA GENTE DE FUERA. YA, NETA, ¿A QUIÉN LE SORPRENDE?

"LA POBREZA ES UN MITO GENIAL"

FRASE ACUÑADA POR UN SECRETARIO DE HACIENDA QUE OBVIAMENTE, IGUAL QUE MUCHOS POLÍTICOS ACTUALES, CONOCÍA A FONDO LA REALIDAD SOCIAL DEL PAÍS...OK, #NOT (VÉASE *TECNÓCRATA*).

LICITACIÓN AMAÑADA O A MODO

PROCESO ARREGLADO PARA QUE EL CUATE DEL POLÍTICO EN TURNO VENDA PRODUCTOS O SERVICIOS AL PROPIO GOBIERNO O DIRECTAMENTE A LA CIUDADANÍA Y HAGA SU (MILLONARIA) RONCHITA. EN LAS CAMPAÑAS POLÍTICAS, ES LA PRINCIPAL MONEDA DE CAMBIO DE LOS CANDIDATOS CON LOS BISNEROS, YA QUE DE ESA FORMA PUEDEN PAGARSE LAS APORTACIONES DE CAMPAÑA QUE SE HICIERON EN CASO DE QUE GANARA EL "GALLO".

LÍNEA 12

MEDIO DE TRANSPORTE...DE RESPONSABILIDADES ENTRE LOS DOS ÚLTIMOS JEFES DE GOBIERNO DE LA HOY CDMX (CIUDAD DE MÉXICO). MIENTRAS MILLONES DE USUARIOS PERDIERON TIEMPO Y LANA AL NO PODER TRANSPORTARSE, LA LÍNEA 12 FUE MOTIVO DE UNA GUERRA SUCIA ENTRE UN POLÍTICO Y SU SUPUESTO APRENDIZ, QUIENES AL PARECER SE QUIEREN TANTO COMO OBI WAN KENOBI Y DARTH VADER.
¡QUE LA FUERZA NOS ACOMPAÑE...HASTA TLÁHUAC!

"LOS DERECHOS HUMANOS SON PARA LOS HUMANOS, NO PARA LAS RATAS"

MÁXIMA DE UN CÉLEBRE EX GOBERNADOR (ES UN DECIR) DEL ESTADO DE MÉXICO, QUIEN, CON GRAN VALENTÍA Y CAPACIDAD DE SÍNTESIS, SACÓ DE LA CONFUSIÓN A MILLONES DE PERSONAS QUE HABÍAMOS ENTENDIDO QUE LOS DERECHOS HUMANOS ERAN OTRA COSA.

LUPITO

APODO CARIÑOSO DE LOS 1 440 MAESTROS HIDALGUENSES QUE COINCIDENTEMENTE NACIERON EL 12 DE DICIEMBRE DE 1912 (¡IMAGÍNENSE EL DESABASTO DE PARTERAS Y EL CAOS DE LOS HOSPITALES EN AQUELLA FATÍDICA FECHA!) Y QUE LE CUESTAN AL PAÍS 32 MILLONES DE PESOS TRIMESTRALES. A SUS 104 AÑOS, ESTOS SAYAYINES DE LA EDUCACIÓN SE DEDICAN A LABORES TAN VARIADAS Y ESENCIALES COMO DAR CLASES EN CENTROS DE TRABAJO INEXISTENTES Y SERVIR COMO COMISIONADOS SINDICALES.

MADRINA

NO, NO SE TRATA DE LA SEÑORA QUE ESTUVO EL DÍA DE TU BAUTIZO PARA LLEVARTE POR LOS CAMINOS DEL SEÑOR. ASÍ LLAMAMOS A LAS GOLPIZAS EXTRAJUDICIALES QUE DE MANERA TAN FRECUENTE Y ARBITRARIA REPARTEN LAS "FUERZAS DEL ORDEN" A MANIFESTANTES, PRESUNTOS CULPABLES Y TODO AQUEL QUE SE PONGA AL TIRO.

MALVERSACIÓN DE FONDOS PÚBLICOS

¿HAS OÍDO HABLAR DEL "SÍ ROBÉ, PERO POQUITO"? (VÉASE *DESVÍO DE RECURSOS*).

MAPACHEAR

ACCIÓN DEL MAPACHE O SOLDADO RASO DE LOS PARTIDOS POLÍTICOS QUE SE ENCARGA DE QUE LA COMPRA Y VENTA DE VOTOS OCURRAN EN ARMONÍA Y GARANTICEN LA VICTORIA "DEMOCRÁTICA" EN LAS URNAS. LO DEL ANTIFAZ DEL ANIMAL ES FELIZ CASUALIDAD (VÉANSE *COMPRA DE VOTOS* Y *CLIENTELISMO*)

"ME DAN A TU HERMANA"

FINA FRASE DE LA GÜERA RODRÍGUEZ ALCAINE, CÉLEBRE LÍDER SINDICAL ELECTRICISTA, EN RESPUESTA A UN REPORTERO QUE LE PREGUNTÓ SI LE DABAN LÍNEA.

-"ESE, ESE ES EL DELINCUENTE."

MINISTERIO PÚBLICO

INSTITUCIÓN DISEÑADA PARA HACERTE PERDER EL TIEMPO CUANDO MÁS TE HACE FALTA, HACERTE SENTIR CULPABLE CUANDO POR ERROR TE ANIMASTE A DENUNCIAR UN DELITO Y HACERTE SENTIR ESTÚPIDO CUANDO INTENTAS AVERIGUAR QUÉ PASÓ CON TU DENUNCIA. EN RESUMEN, UN VIVO REFLEJO DE LA CALIDAD DE LA JUSTICA EN MÉXICO, DONDE LA IMPUNIDAD SUPERA EL 90%.

MOCHES

CUANDO ALGÚN LEGISLADOR PIDE AL PRESIDENTE MUNICIPAL QUE "SE PONGA LA DEL PUEBLA" PARA QUE "LE BAJEN EL RECURSO". LA VERDAD ES QUE, TRATÁNDOSE DE DINERO PÚBLICO, ADEMÁS DE BAJAR RECURSOS, ESAS PRÁCTICAS NOS ESTÁN BAJANDO LOS CALZONES A LOS CIUDADANOS (VÉANSE *EXTORSIÓN* Y *TAJADA*).

MONTANA

BAILARINA EXÓTICA QUE GANÓ FAMA TRAS HABER AMENIZADO —JUNTO CON ALGUNAS DE SUS COLEGAS— UNA HUMILDE PACHANGUITA DE DIPUTADOS PANISTAS EN PUERTO VALLARTA, POR ALLÁ DE 2014. ¡ÁNIMO!

"NI LOS VEO NI LOS OIGO"

FRASE DE UN EX PRECISO EMPLEADA PARA ATAJAR EL FRAUDE ELECTORAL DE 1988 (SÍ, AQUELLA NOCHE QUE SE "CAYÓ EL SISTEMA"). HOY EN DÍA ES UTILIZADA POR TODO POLÍTICO QUE BUSQUE MENOSPRECIAR LAS CRÍTICAS Y LAS MANIFESTACIONES.

"NO QUIERO QUE ME DEN, SINO QUE ME PONGAN DONDE HAY"

SI LA CORRUPCIÓN FUERA UN LIGUE, DIGAMOS QUE ESTE DICHO QUE SUENA A ALBUR SERÍA UNA DE LAS PRIMERAS FRASES DE CACHONDEO.

OPERADOR

"ALQUIMISTA" DEL SIGLO XXI CAPAZ DE TRANSFORMAR EL MOSAICO DE PREFERENCIAS ELECTORALES Y PULSIONES POLÍTICAS QUE CARACTERIZAN A MÉXICO EN UN VOTO DURO Y DECIDIDO POR EL CANDIDATO QUE TUVO A BIEN CONTRATAR SUS SERVICIOS (O AL MENOS ESO DICEN). HOY POR HOY, EN CÍRCULOS POLÍTICOS, SER CONSIDERADO UN "GRAN OPERADOR" PROPORCIONA UN ENORME PRESTIGIO, VE TÚ A SABER POR QUÉ. COMO CANTABA CHABELO, "VAMOS A VER CÓMO ES EL REINO DEL REVÉS..." (VÉANSE *MAPACHE* Y *CLIENTELISMO*).

PACTO POR MÉXICO

ACUERDO QUE ARROJÓ 12 REFORMAS ESTRUCTURALES DE GRAN CALADO Y, MUCHAS DE ELLAS, HASTA NECESARIAS. DESAFORTUNADAMENTE, EL PACTO TERMINÓ COBRÁNDONOS UNA FACTURA MUY CARA AL AUMENTAR LA "CORRUPCIÓN DE ELLOS", BORRAR LA DELIBERACIÓN PARLAMENTARIA Y DESDIBUJAR LA OPOSICIÓN INSTITUCIONALIZADA (VÉASE *CONSENSO*).

PARTENÓN

MODESTO CANTÓN DEL EX JEFE DE LA POLICÍA DE LA CIUDAD DE MÉXICO, ARTURO EL NEGRO DURAZO. CUENTA LA LEYENDA QUE LO MANDÓ CONSTRUIR A PRINCIPIOS DE LOS AÑOS SETENTA PARA TENER DÓNDE RETIRARSE TRAS VARIAS DÉCADAS DE SERVICIO PÚBLICO HONRADO, DEDICADO Y COMPROMETIDO. QUIZÁ POR ESO SE ASEGURÓ DE QUE LA PUERTA FUERA UNA RÉPLICA DE LA ENTRADA DE LOS PINOS, DE INSTALAR INNUMERABLES ESCULTURAS DE INSPIRACIÓN GRECORROMANA, COLOCAR CAMAS COLGANTES CON ESPEJOS EN EL TECHO Y CONSTRUIR UNA ALBERCA, UNA DISCOTECA Y UN GRAN COMEDOR DE MÁRMOL. SI TE PREGUNTAS CÓMO LE ALCANZÓ PARA EDIFICAR Y DECORAR SEMEJANTE CASITA, MEJOR QUÉDATE CON LA DUDA.

PARTIDA SECRETA

DÍCESE DEL GUARDADITO QUE TIENEN LOS PRESIDENTES, GOBERNADORES Y ALGUNOS LEGISLADORES PARA PARTIRLE LA MADRE AL ERARIO PÚBLICO (EN SECRETO, CLARO).

PARTIDOS POLÍTICOS

EL BISNES MÁS RENTABLE DE MÉXICO DESDE 1996, CON RETORNOS SOBRE CAPITAL SUPERIORES A LOS DE APPLE –Y SIN RIESGO NI NECESIDAD DE INVERSIONES INICIALES–. NO ES BROMA. Y ENCHILA PORQUE DEBERÍAN SER EL PRINCIPAL INSTRUMENTO PARA QUE LOS CIUDADANOS PARTICIPEMOS EN POLÍTICA Y HAGAMOS VIDA PÚBLICA.

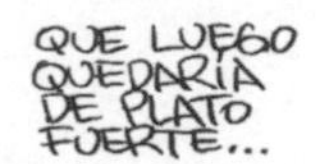

PEMEX

COCHINITO (¿O MARRANOTE?) QUE SIRVIÓ PARA FINANCIAR EL GASTO PÚBLICO DURANTE CASI 70 AÑOS, PARA ENRIQUECER LOS BOLSILLOS DE DOCENAS DE POLÍTICOS Y LÍDERES SINDICALES QUE PASARON POR SUS POCILGAS Y PARA POSTERGAR UNA LARGA CADENA DE REFORMAS NECESARIAS PARA EL DESARROLLO DE MÉXICO. LÁSTIMA, PORQUE ESTA EMPRESA, QUE TAMBIÉN FUE EL MOTOR DE LA INDUSTRIALIZACIÓN DURANTE BUENA PARTE DEL SIGLO VEINTE, SE ESTÁ CONVIRTIENDO EN EL PRINCIPAL DOLOR DE CABEZA DE NUESTRA ECONOMÍA.

PEMEXGATE

ESCÁNDALO POLÍTICO OCURRIDO CUANDO SE DESCUBRIÓ QUE EL SINDICATO DE PEMEX FINANCIÓ BUENA PARTE DE LA CAMPAÑA DE FRANCISCO LABASTIDA EN EL 2000 (DINERO MAL INVERTIDO PORQUE, COMO SE SABE, PERDIÓ). EL PRI FUE MULTADO CON 1 000 MILLONES DE PESOS. EL PRIMER SIGNO DE QUE A LA PARTIDOCRACIA LE SALE MÁS BARATO BURLAR LAS REGLAS QUE JUGAR CON ELLAS; SI NO, PREGÚNTENLE AL "PARTIDO" "VERDE".

PLAN NACIONAL DE DESARROLLO

CARTA QUE TODOS LOS PRESIDENTES ESCRIBEN A LOS SANTOS REYES AL PRINCIPIO DE SU SEXENIO. SE CARACTERIZAN POR SER DOCUMENTOS LARGOS, ABURRIDOS Y REPLETOS DE CIFRAS ALEGRES. ALTAMENTE RECOMENDABLES PARA QUIENES PADEZCAN DE INSOMNIO.

PLANTAR (UN ARMA)

METODOLOGÍA EMPÍRICA DE INVESTIGACIÓN CRIMINAL MEDIANTE LA CUAL UN AGENTE (ES UN DECIR) DEL MINISTERIO PÚBLICO COLOCA UN ARMA EN EL VEHÍCULO DEL PRESUNTO CULPABLE PARA PODER PROCESARLO ANTE UN JUEZ. LOS INVESTIGADORES MÁS VERSADOS EN ESA TÉCNICA —QUE DATA DE LA ÉPOCA DE ARTURO *EL NEGRO DURAZO* (CONAPREEEED)— JURAN Y PERJURAN QUE SI RECURREN A ELLA ES PORQUE LOS JUECES SON MUY CORRUPTOS Y ES LA ÚNICA MANERA DE CASTIGAR A LOS RATEROS. ¡QUÉ DEDICADOS!

"PLENITUD DEL PINCHE PODER"

FRASE DE UN ILUSTRE EX GÓBER DE VERACRUZ CON LA QUE DESCRIBIÓ SU CAPACIDAD DE "MANDO" EN LAS ELECCIONES LOCALES DE 2010. POR DESGRACIA PARA ESE ESTADO, LA DELINCUENCIA ORGANIZADA ES LA QUE AL PARECER SE JACTA DE EJERCER A PLENITUD EL PINCHE PODER ALLÁ EN TIERRA JAROCHA.

POLICÍA

AUNQUE SIN DUDA LOS HAY HONESTOS, SON PARTE DE UN SISTEMA DE CORRUPCIÓN MUY ACEITADO QUE EMANA DESDE LOS ALTOS MANDOS POLICIALES. NO SÓLO ESTÁ EL QUE PIDE MORDIDA, SINO EL QUE COBRA POR DEJAR PEDIR MORDIDA Y, OBVIO, EL QUE LAS DA (LAS MORDIDAS). ASÍ QUE YA NO SE LAS ANDES DANDO (VÉASE *CHOTA*).

PREBENDA

CONQUISTA LABORAL DE LA CLASE POLÍTICA QUE, POR OBRA Y GRACIA DE SU LINDA CARITA, TIENE DERECHO A DISFRUTAR LUJOS TAN MODESTOS COMO AGUINALDO DOBLE, RETIRO CON PENSIÓN VITALICIA DEL 100%, CAMIONETA BLINDADA CON CHOFER Y GUARURAS, Y BOLETOS VIP PARA LA VISITA DEL PAPA (VÉASE *GUARRO* O *GUARURA*).

PRESTA NOMBRES

DÍCESE DE QUIEN SE PRESTA COMO FACHADA PARA QUE ALGÚN GOBERNANTE AVARICIOSO HAGA NEGOCIOS O ADQUIERA PROPIEDADES. UNA PRESTADERA, PUES.

PROGRAMA SOCIAL

LA FORMA MÁS EFICAZ DE DISTRIBUIR EL DINERO DEL ERARIO, LEGALMENTE, ENTRE CLIENTELAS POLÍTICAS O A LOS CUATES DEL POLÍTICO EN TURNO. TRAS DOS DÉCADAS DE REPARTIR ESA LANA DE MANERA "FOCALIZADA", LA POBREZA EN MÉXICO ES LA MISMA QUE EN 1992 (VÉASE *DESARROLLO SOCIAL*).

PUBLICIDAD OFICIAL

ANESTÉSICO PREFERIDO DE LOS MEDIOS DE COMUNICACIÓN, PROVISTO POR "PAPÁ GOBIERNO" PARA QUE LOS CHAMACOS PERIODISTAS NO SE ANDEN METIENDO DONDE NO LOS LLAMAN. AUNQUE DESDE 2007 LA CONSTITUCIÓN MANDA QUE SE REGULE, LOS PARTIDOS IGNORAN LA LEY PORQUE SON LOS PRINCIPALES BENEFICIARIOS DE VIOLARLA... Y PORQUE PUEDEN... Y PORQUE ÍNGUESU...

RAMO 33

ES EL RAMO DEL PRESUPUESTO DE EGRESOS DE LA FEDERACIÓN QUE SE DEDICA A LAS PARTICIPACIONES DE LOS ESTADOS Y MUNICIPIOS. AL SER NIVELES DE GOBIERNO CARACTERIZADOS POR LA OPACIDAD EN EL MANEJO DE SUS RECURSOS, LOS POLÍTICOS, COMO BUENOS MAGOS -*PUFF*-, ECHAN SUS POLVITOS Y DESAPARECEN EL DINERO.

REFORMAS ESTRUCTURALES

SI BIEN ERAN NECESARIAS, CADA DÍA SE PARECEN MÁS A UN PLAN DE NEGOCIOS DE LA PARTIDOCRACIA Y SUS CUATES. YA CHOLE CON TUS QUEJAS Y CON QUE NO LOS DEJES HACER BISNES. TE PASAS.

REPRESENTANTE POPULAR

MIEMBROS DEL LEGISLATIVO QUE -SE SUPONE- SON "LA VOZ" DE LOS HABITANTES DE SUS RESPECTIVOS ESTADOS O DISTRITOS. POPULARES, LOS HAY; ALLÍ ESTÁ, POR EJEMPLO, CARMELITA SALINAS. PERO QUE REALMENTE REPRESENTEN A LA CIUDADANÍA, PUES...ALLÍ SÍ ESTÁ MÁS CANIJO ENCONTRAR UN EJEMPLO, PORQUE NI ELLA MISMA SE HA ANIMADO A GRITARLES A SUS COLEGAS: "AGARREN A ESOS PINCHES RATAS".

SALARIO MÍNIMO

COMO VIL PETATE DEL MUERTO, NOS DICEN QUE, EN EL CATASTRÓFICO E IMPENSABLE ESCENARIO DE QUE SUBIERA ALGUNOS PESITOS, LA INFLACIÓN –Y NUESTRA ECONOMÍA, PUES– SE IRÍA AL CAÑO. ¿ASÍ DE CÍNICOS (ELLOS) O ASÍ DE DEJADOS (NOSOTROS)?

"SE CAYÓ [O SE CALLÓ] EL SISTEMA"

PRIMER ACTO: SALE EL CANDIDATO DEL PRI TRANQUILO Y SONRIENTE. SEGUNDO ACTO: SALE EL CANDIDATO DEL PRI ANGUSTIADO Y DESENCAJADO. TERCER ACTO: SALE EL SECRETARIO DE GOBERNACIÓN A TAPAR EL SOL CON UN DEDO.
¿CÓMO SE LLAMÓ LA OBRA?

SEIS MIL PESOS

CANTIDAD MÁGICA CON LA QUE ES POSIBLE PAGAR CRÉDITO PARA VIVIENDA, CRÉDITO PARA COCHE, DESPENSA Y COLEGIATURAS, SEGÚN UN EX SECRETARIO DE HACIENDA DEL PERIODO CLÁSICO DEL PANATO (VÉASE *TECNÓCRATA*).

SELFIE

AUTORRETRATO DEL CINISMO, LA PREPOTENCIA, EL DESCARO Y LA INSENSIBILIDAD DE VARIOS FUNCIONARIOS PARA MOSTRARNOS EL MÉXICO DE LOGROS EN EL QUE VIVIMOS Y QUE NO QUEREMOS VER.

SE NA DOR

COMO EL DIPUTADO, PERO MÁS INSOPORTABLE (VÉASE *DIPUTADO*).

SEÑOR DE LAS LIGAS

PLOMERO EXPERTO EN DESTAPAR LAS CAÑERÍAS DE LA POLÍTICA DE LA CIUDAD DE MÉXICO Y QUE, A CAMBIO DE UNA BILLETIZA TRANSPORTABLE EN LIGAS MÁS LIGERAS QUE EL ÚLTIMO APPLE WATCH, ES CAPAZ DE INCLINAR LA BALANZA ELECTORAL A FAVOR DE QUIEN SEA, POR MÁS IMPRESENTABLE QUE TE PAREZCA.

SEÑOR PRESIDENTE

MULETILLA DEL ANTIGUO RÉGIMEN QUE EXPRESA NUESTRA ACTITUD DE SUMISIÓN (Y CONVENIENCIA) ANTE EL AUTORITARISMO.

"SERÍA IMPERDONABLE [QUE EL CHAPO SE VOLVIERA A FUGAR]"

Y LOS PERDONAMOS. "MISIÓN CUMPLIDA."

ANTICORRUPCIÓN
DELEGACIONES
OHL
LIBERTAD DE EXPRESIÓN
LINEA 12
NARCO
PARTIDO VERDE
SINDICATOS
TERRATENIENTES
CRIMEN ORGANIZADO
ELECCIONES
FIFA
INSECTICIDA
chubasco...
FACEBOOK: CHUBASCOTOONS

SISTEMA NACIONAL ANTI-CORRUPCIÓN

COMO EL *SON DE LA NEGRA*, DICEN QUE SÍ PERO NUNCA DICEN CUÁNDO.

SNTE

SIGLAS QUE SE REFIEREN AL SINDICATO MAGISTERIAL MÁS GRANDE DE AMÉRICA LATINA, PERO TAMBIÉN AL INSTRUMENTO DE CONTROL POLÍTICO MÁS PODEROSO DE MÉXICO, A LOS MILITANTES DEL PARTIDO (ES UN DECIR) NUEVA ALIANZA Y, SÍ, A LA TARJETA DE CRÉDITO DE ELBA ESTHER GORDILLO.

SUBVENCIÓN/ASIGNACIÓN/ PRERROGATIVA PARLAMENTARIA

DÍCESE DE LOS MILLONES DE PESOS QUE LOS GRUPOS PARLAMENTARIOS EN EL CONGRESO SE REPARTEN PARA GASTÁRSELOS COMO LES DA SU REGALADA GANA (VÉASE *CONGRESO*). EN OTRAS PALABRAS, EL MOTOR SILENCIOSO DE LA CORRUPCIÓN LEGISLATIVA EN MÉXICO.

TAJADA

PEDAZOS DEL PASTEL PRESUPUESTAL QUE LOS DIPUTADOS SE AGANDALLAN ANUALMENTE DURANTE LA DISCUSIÓN DEL PRESUPUESTO Y QUE DESAPARECEN MÁS RÁPIDO QUE TU NOVIO DE LA PREPA CUANDO TUS PAPÁS LLEGABAN A CASA TEMPRANO.

TECNÓCRATA

PERSONAJE GENERALMENTE EDUCADO EN UNIVERSIDADES GABACHAS DE RENOMBRE DONDE LES METEN LA MANO INVISIBLE POR TODOS LADOS Y A TODAS HORAS, HASTA QUE SE CONVIERTEN EN APÓSTOLES DEL LIBRE MERCADO. LUEGO VUELVEN A MÉXICO Y ASEGURAN UN PUESTO EN EL GOBIERNO DICIENDO SABER DE ECONOMÍA.

TORTURA

METODOLOGÍA EMPÍRICA (GENERALIZADA, SEGÚN LA ONU Y MÁS DE UNA ORGANIZACIÓN INTERNACIONAL DE RENOMBRE) USADA PARA EXTRAER "CONFESIONES" DE SUJETOS SOSPECHOSOS DE HABER COMETIDO ALGÚN CRIMEN. EN MUCHOS CASOS SE APLICA CON LA AYUDADITA DE TEHUACANES, CHILE PIQUÍN, BOLSAS DE PLÁSTICO Y TOQUES EN LAS PARTES BLANDAS. TODO, CLARO, EN ARAS DE CONOCER LA VERDAD (TANTO LA "HISTÓRICA" COMO LA NO TANTO).

TRANSICIÓN DIGITAL TERRESTRE

POLÍTICA PÚBLICA (ES UN DECIR) DEL GOBIERNO FEDERAL QUE CONSISTIÓ EN REPARTIR 10 MILLONES DE TELEVISORES DE PANTALLA PLANA PARA EVITAR QUE LAS FAMILIAS MÁS POBRES DE MÉXICO SE QUEDARAN SIN VER *SABADAZO*. LOS SOSPECHOSISTAS ASEGURAN QUE TAMBIÉN FUE UN PRETEXTO PARA COMPRAR IGUAL NÚMERO DE VOTOS, PERO NOSOTROS SABEMOS QUE SERÍAN INCAPACES.

"UN POLÍTICO POBRE ES UN POBRE POLÍTICO"

FRASE DE UN ILUSTRE POLÍTICO MEXICANO, MEJOR CONOCIDO COMO "EL PROFE", USADA PARA EXPLICAR SU ENRIQUECIMIENTO PERSONAL. ¿POR QUÉ NO?

UNIDAD

MÉTODO DE ELECCIÓN DE CANDIDATOS EN EL PRI (Y, CADA VEZ MÁS, EN EL PAN, EL PRD Y LOS PARTIDOS DE LA CHIQUILLADA) MEDIANTE EL CUAL SE MINIMIZAN LAS RUPTURAS Y SE MAXIMIZA LA REPARTICIÓN DE PREBENDAS (VÉASE *PREBENDA*).

VIDEOESCÁNDALO

DURANTE LA DÉCADA DE LOS 2000, MÉTODO POPULAR PARA DESPRESTIGIAR A ALGÚN POLÍTICO O PERSONA EN PARTICULAR (NO QUE HUBIERA TENIDO UNA REPUTACIÓN IMPECABLE ANTES). MUCHAS VECES, ESOS ACTOS HUBIERAN SIDO IMPOSIBLES SIN LA COMPLICIDAD DE CIERTOS MEDIOS DE COMUNICACIÓN.

"VIVIR FUERA DEL PRESUPUESTO ES VIVIR EN EL ERROR"

FRASE ATRIBUIDA AL ILUSTRE VERACRUZANO CÉSAR GARIZURIETA, APODADO "EL TLACUACHE". SEGÚN SE DICE, AL QUEDARSE SIN CHAMBA, ESTE PERSONAJE SE SINTIÓ A LA INTEMPERIE Y SE SUICIDÓ, ACCIÓN CON LA CUAL DIO UNA CONGRUENCIA VIVENCIAL A SU PARTICULAR FILOSOFÍA.

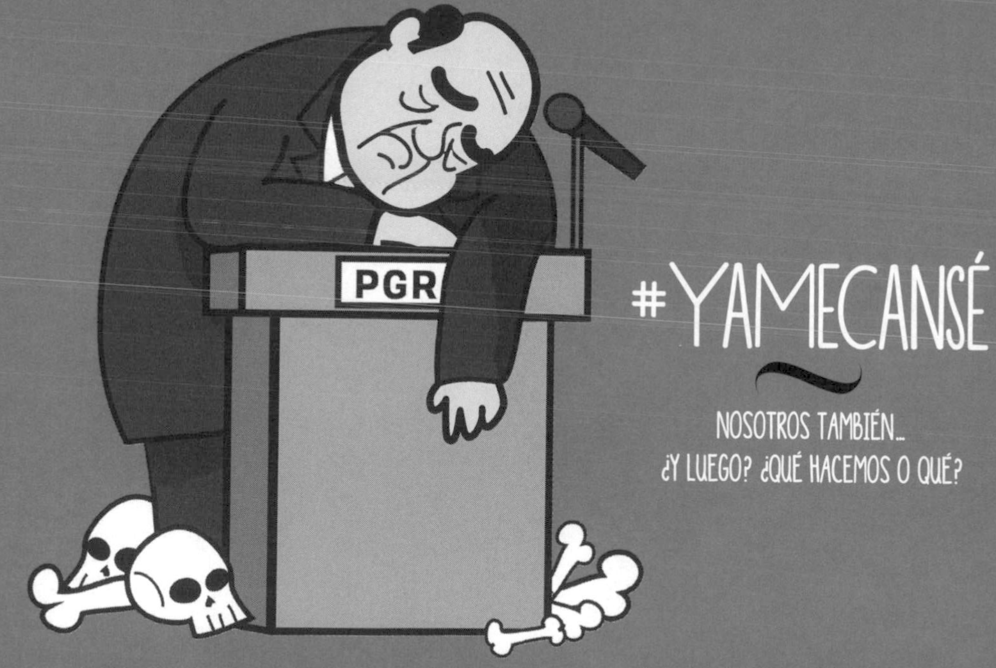

#YAMECANSÉ

NOSOTROS TAMBIÉN...
¿Y LUEGO? ¿QUÉ HACEMOS O QUÉ?

@mareoflores

VISOOR

Capítulo 2:

La corrupción de Nosotros

"ACEITAR LA MANO"

FRASE DE USO COMÚN ENTRE AUTORIDADES PARA "AYUDAR" A EVADIR RESPONSABILIDADES A LOS CIUDADANOS. "PS SIEMPRE HAY MANERAS DE AYUDARNOS, JOVEN. USTED ACÉITEME LA MANO Y YO HAGO COMO QUE NO VEO."

ASTUCIA

CONJUNTO DE MEDIOS DE LOS QUE LOS MEXICANOS NOS VALEMOS PARA NO SEGUIR LAS REGLAS. SOMOS ASTUTOS CUANDO LES DAMOS LA VUELTA A AQUELLOS QUE NO NOS FAVORECEN O NOMÁS NOS INCOMODAN: PAGAR IMPUESTOS, LUZ, AGUA, MULTAS Y UN LARGUÍSIMO ETCÉTERA.

"AYÚDAME A AYUDARTE"

INSINUACIÓN DE QUIEN QUIERE SALTARSE LAS REGLAS PORQUE LOS TRÁMITES SON ENGORROSOS Y TARDADOS.

BISNES

CONCEPTO DERIVADO DE TRANSACCIONES COMERCIALES EN LAS QUE ALGUIEN CHAMAQUEA A UN TERCERO; LAS CIFRAS ESTÁN INFLADAS, PERO MÁGICAMENTE CUADRAN PARA LA ASOMBROSA CONVENIENCIA DEL COMERCIANTE. NORMALMENTE, LOS BISNES EMPIEZAN CON UN INTERCAMBIO COMO ÉSTE: "GALLO, TE PROPONGO UN BISNES BUENÍSIMO. TENGO UNAS LUMINARIAS QUE VALEN 250 VAROS PERO SE LAS VENDEMOS A ESTOS PENDEJOS DEL AYUNTAMIENTO A 10 000 Y NOS REPARTIMOS LAS GANANCIAS". "A HUEVO, MIRREY, POR ESO ERES UN CHINGÓN." "NO, CHINGÓN TÚ, PINCHE BANDIDO." "A HUEVO, PAPALOY, VAMOS POR UNAS LOBUKIS." "A HUEVO" (VÉASE *NEGOCIAZO*).

CACHIRUL

PERSONA QUE MIENTE SOBRE SU EDAD PARA PODER JUGAR CON MENORES. Y NO, NO SE REFIERE A UN SACERDOTE DE MORAL RELAJADA. AQUELLOS QUE YA ESTABAN PELUDITOS A FINALES DE LOS OCHENTA SABRÁN DE LO QUE ESTAMOS HABLANDO.

CHAFIRETE

SUBESPECIE DE LOS CHOFERES DE TRANSPORTE PÚBLICO, TÍPICAMENTE TAXISTA, QUE DISFRUTA DE MAL USAR SUS VEHÍCULOS MOTORIZADOS PARA CAFREAR, PASARSE EL ALTO, BAJAR PASAJE EN CUALQUIER LUGAR, HACER MONTÓN CUANDO CHOCA, ECHAR LATA Y HASTA ASALTAR.

CHAIROS

LA VERDAD ES QUE, BIEN A BIEN, NO SABEMOS QUÉ SON. SABEMOS QUE ALGUNOS MARCHAN MUCHO PARA DESGASTAR LAS SUELAS DE SUS ZAPATOS. OTROS VIVEN DE LAS BECAS QUE RECIBEN EN LA UNIVERSIDAD DONDE (ALGUNOS) ESTUDIAN, ENCUENTRAN PLACER EN REGAÑARTE POR TU APATÍA POLÍTICA Y SE QUEJAN AMARGAMENTE DEL PRI Y LOS MEDIOS OFICIALISTAS.

CHAMA-QUEAR

ES ADELANTARSE O TOMAR VENTAJA DE UNA SITUACIÓN A COSTA DE ALGUIEN MÁS. COMO CUANDO TE COBRAN DE MÁS EN EL SÚPER O NO TE DAN EL LITRO DE A LITRO EN LA GASOLINERA.

CHICHINFLAS

PALABRA DE ANTAÑO UTILIZADA PARA REFERIRSE A LOS PADROTES Y A LOS SOPLONES DE ACTOS CORRUPTOS. "VAMOS A PARTIRLE LA MADRE A ESE CHICHINFLAS", SEGURAMENTE DECÍAN NUESTROS ABUELOS.

CHINGÓN

DÍCESE GENERALMENTE DE TODO AQUEL QUE VA POR LA VIDA HACIENDO SU SANTA VOLUNTAD Y LOGRANDO SUS OBJETIVOS, SIN IMPORTAR A QUIÉN APLASTA. CLARO QUE HAY "CHINGONES" INOFENSIVOS QUE SIMPLEMENTE SON MUY BUENOS EN LO QUE HACEN; PERO LA VERDADERA GLORIA LA TIENEN QUIENES APROVECHAN CUALQUIER OPORTUNIDAD PARA "CHINGARSE" A LOS QUE SE DEJAN (VÉANSE *BISNES* Y *GALLO*).

CIEGO /SORJUANITA/QUIÑÓN/MANITA

CÓDIGO SUPERELABORADO Y SECRETO EMPLEADO PARA REFERIRSE A CANTIDADES ESPECÍFICAS DE DINERO AL MOMENTO DE BUSCAR UN "ARREGLO" PARA SALIR BIEN LIBRADO –Y UN POCO MÁS JODIDO– DE SITUACIONES EMBARAZOSAS CON AUTORIDADES Y/O SERVIDORES PÚBLICOS. EL "CIEGO" ES UN BILLETE DE 100 PESOS; UNA "SORJUANITA", EL BILLETE DE 200 VARITOS; EL "QUIÑÓN", EL BILLULLO DE 500, Y LA "MANITA" –DEPENDIENDO DE LA SITUACIÓN Y EL EXTORSIONADOR– PUEDE SER UN BIYIK DE 50 O 500 LANITAS.

CINISMO

LO QUE DESTILAMOS CUANDO ALGUIEN SE ATREVE A PREGUNTARNOS SI SOMOS CORRUPTOS Y RESPONDEMOS: "¿CORRUPTO YO? ¡CORRUPTOS ELLOS!" O "LO MÍO NO ES CORRUPCIÓN; ES JUSTICIA SOCIAL".

CLON ORIGINAL

CONCEPTO TEPITEÑO DIGNO DEL MEJOR REALISMO MÁGICO MEXICANO. EL CLON ORIGINAL SE REFIERE A LA PRIMERA COPIA DEL ORIGINAL, LA MÁS MEJOR, LA MÁS *NAIS* DE TODAS LAS COPIAS.

COCHISTA

DÍCESE DE LAS PERSONAS QUE USAN LOS COCHES COMO EXTENSIÓN DE SU CUERPO, SIN IMPORTAR A QUIÉN SE LLEVAN ENTRE LAS LLANTAS. ¡CHALE!

COLGARSE (DE)

ROBAR LA LUZ, EL AGUA, EL CABLE, LA SEÑAL DE INTERNET Y HASTA EL NETFLIX DEL VECINO DESPISTADO PARA EVITARSE LA MOLESTIA DE PAGAR POR ESOS SERVICIOS (NI QUE FUÉRAMOS RICOS). AHORA QUE, SI TIENES 30 AÑOS Y LA ESCENA DEL CRIMEN ES LA CASA DE TUS PAPÁS, ESTAMOS ANTE OTRO PROBLEMA.

COLMILLUDO

PERSONA QUE SABE BAILAR AL SON DE "HACERSE GÜEY" Y DEL MÁS FAMOSO Y PRESIDENCIAL "¿Y YO POR QUÉ?" SE CARACTERIZAN POR SER LOS QUE "SE LA SABEN", LOS CHINGONES O LOS "CHICHOS". HAY QUIENES TIENEN COLMILLOS TAN LARGOS QUE VAN DEJANDO UN SURCO POR DONDE CAMINAN.

"¿CÓMO NOS PODEMOS ARREGLAR?"

PREGUNTA FRECUENTE QUE LOS AUTOMOVILISTAS HACEN A LOS POLICÍAS DE TRÁNSITO AL SER DETENIDOS POR COMETER UNA INFRACCIÓN VIAL: "YA SÉ QUE ME PASÉ EL ALTO, OFICIAL; PERO, YA ACÁ ENTRE NOS, ¿CÓMO NOS PODEMOS ARREGLAR?" ES UNA OFERTA SUTIL PARA QUE EL POLICÍA "PERDONE" LA MULTA A CAMBIO DE QUE LE DES PA'L CHESCO. CON RAZÓN NUESTROS POLICÍAS ESTÁN TAN GORDITOS.

COMPLICIDAD

PADECIMIENTO PRIMO HERMANO DE LA INDIFERENCIA, CON IMPLICACIONES BASTANTE MÁS SEVERAS QUE SU FAMILIAR. TODOS HEMOS ESCUCHADO EL REFRÁN "TANTO PECA EL QUE MATA LA VACA COMO EL QUE LE AGARRA LA PATA". EVIDENTEMENTE, EN ESTOS TIEMPOS NO MUCHA GENTE EN EL VECINDARIO MATA VACAS, PERO DIFÍCILMENTE ESTAMOS LIBRES DE COMPLICIDAD EN ALGÚN PUNTO DE NUESTRA VIDA. YA SEA PORQUE VIMOS A UN CUATE ROBÁNDOSE UN FRUTSI Y UNOS PINGÜINOS DE LA TIENDA (SEGURAMENTE EN VERACRUZ), O PORQUE, QUIZÁ, TENEMOS POR AHÍ ALGÚN AMIGO O FAMILIAR QUE NO HACE COSAS PARTICULARMENTE LÍCITAS.

"CON DINERO BAILA EL PERRO"

PRÉSTAME ATENCIÓN PARA EXPLICARTE ESTA FRASE. SE USA PARA SEÑALAR QUE MEDIANTE UNA "GRATIFICACIÓN" SE PUEDE OBTENER LO QUE SE QUIERA. ES UNA EXPRESIÓN MUY SOCORRIDA PARA REFERIRSE A LA MANERA EN QUE OPERA LA BUROCRACIA EN MÉXICO. "Y, PS YA SABES, LE TUVE QUE PASAR UNA 'LUZ' AL DEL MINISTERIO PÚBLICO PARA QUE DEJARA SALIR A MI CHAMACO AGOBIADO. CON DINERO BAILA EL PERRO."

CONTUBERNIO

CUANDO LA TÍA MALVINA SE PUSO DE ACUERDO CON MÍSTICA PARA BAJARLE EL MARIDO A MARÍA MERCEDES.

DENUNCIAR

LO QUE DEBES HACER SI ERES VÍCTIMA O TESTIGO DE UN ACTO DE CORRUPCIÓN. NO HAY PRETEXTO.

DERECHO DE PISO

TRIBUTO PAGADO AL TLATOANI DELEGACIONAL, AL CACIQUE O AL NARCO –QUE A VECES SON LO MISMO, POR DESGRACIA– POR PARTE DE LOS COMERCIANTES PARA PODER REALIZAR EL "TRUEQUE".

DIABLITO

INGENIOSO ARTEFACTO DE HECHURA NACIONAL QUE TRANSFORMA EL CONSUMO DE ENERGÍA ELÉCTRICA EN AHORRO PARA EL BOLSILLO... #REFORMAENERGÉTICA.

DINERO

LO QUE EN MUCHOS LADOS ES UN MEDIO PARA RECOMPENSAR EL TRABAJO Y CUBRIR LAS NECESIDADES DE LAS FAMILIAS, EN MÉXICO ES LA OBSESIÓN DE UN PREOCUPANTE NÚMERO DE POLÍTICOS Y BISNEROS QUE LO UTILIZAN PARA MEDIR SU VALOR COMO PERSONAS. Y ES QUE EN MÉXICO TODO TIENE PRECIO, DESDE LA VIDA (QUE NOS DISCULPEN EN GUANAJUATO) HASTA LA JUSTICIA (PREGÚNTENLE A LA HIJA DE UN AFAMADO ROCANROLERO POBLANO). CITANDO LAS PALABRAS DE ESE POSMODERNO JUGLAR URBANO CONOCIDO COMO MCDINERO: "EL DINERO ES DINERO, EL DINERO ES DINERO, EL DINERO ES DINERO, APRENDE ALGO, DINERO…NO HAY ERROR, NO HAY ERROR".

EMPRESAURIO

EMPRESARIO ANACRÓNICO QUE COEXISTE CON LOS DINOSAURIOS DE LA POLÍTICA, CON QUIENES COMPARTE CADENA ALIMENTICIA, FORMAS Y PRINCIPIOS, EMPEZANDO POR LAS CORRUPTELAS, MOCHES Y FAVORES COMO FORMA DE HACER BISNES.

ESTAFA

ENGAÑO QUE PERJUDICA EL PATRIMONIO DE UN TERCERO. Y CON PATRIMONIO TAMBIÉN NOS REFERIMOS AL BIYIK, EL CAMARÓN, LA LANA. ¿ALGUNA VEZ JUGARON "DÓNDE QUEDÓ LA BOLITA" AFUERA DEL METRO?

EVASIÓN FISCAL

ACCIÓN DE HACERSE GÜEY A LA HORA DE PAGARLE A HACIENDA, LLEVÁNDOSE ENTRE LAS PATAS A QUIENES SÍ PAGAN SUS IMPUESTOS, POR MÁS QUE LA CLASE POLÍTICA SEA ADICTA A DESVIAR LOS RECURSOS PÚBLICOS (VÉASE *CLASE POLÍTICA*).

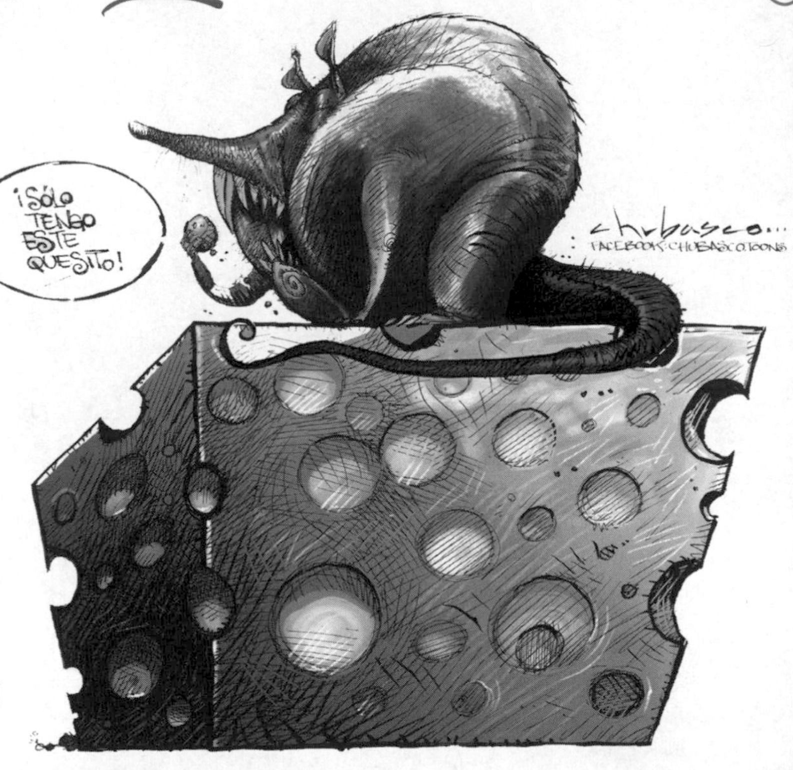

FAYUCA

ARTÍCULO DE PROCEDENCIA ILÍCITA, YA SEA ROBADO O PIRATA. NORMALMENTE TERMINA SALIENDO MÁS CARO EL CALDO QUE LAS ALBÓNDIGAS, PUESTO QUE LOS ARTÍCULOS SON UNA PORQUERÍA, ASÍ QUE TENEMOS QUE COMPRAR OTRO PARA REEMPLAZAR EL PRIMERO, Y OTRO PARA REEMPLAZAR EL SEGUNDO, Y OTRO Y OTRO...

FÓSIL

SUJETO QUE BUSCA PERPETUARSE EN ALGUNA INSTITUCIÓN EDUCATIVA, TÍPICAMENTE PÚBLICA, AUNQUE TAMBIÉN PUEDE SER UNA UNIVERSIDAD PRIVADA. LA MAYORÍA DE LAS VECES NI SIQUIERA ES ESTUDIANTE Y SÓLO ESTÁ AHÍ PORQUE ENCONTRÓ ALGUNA FORMA DE HACER BISNES EN LA UNIVERSIDAD. ¿ESCUCHASTE DEL MOSH A FINALES DE LOS NOVENTA O DEL YORCH A PRINCIPIOS DE 2016?

FRANELERO

TAMBIÉN CONOCIDOS COMO "VIENE-VIENE", SON LOS ENCARGADOS DE "ADMINISTRAR" LOS ESPACIOS DESTINADOS PARA ESTACIONAMIENTO EN ZONAS DE GRAN AFLUENCIA VEHICULAR. Y AGUAS SI LES DICES QUE NO, PORQUE A TI O A TU NAVE LES CAE LA VOLADORA.

GALLO

DÍCESE DE ALGUIEN CAPAZ DE HACER CUALQUIER ACTO HEROICO: "ÉSE ES MI GALLO; YO CONFÍO EN ÉL". EN EL MUNDO DE LA CORRUPCIÓN, HABLAMOS DE AQUEL QUE NOS HACE LAS TRANSAS (VÉANSE *BISNES* Y *CHINGÓN*).

GUARRO O GUARURA

PERSONAJE QUE BRINDA SERVICIOS DE SEGURIDAD A LOS MÁS EMPODERADOS. SI BIEN LOS HAY BUENOS Y DEDICADOS (A ÉSTOS LOS LLAMAMOS "ESCOLTAS"), LA MAYORÍA SE ESPECIALIZA EN ESTACIONARSE EN DOBLE FILA O DE PLANO SOBRE LA BANQUETA, AMENAZAR A TODO AQUEL QUE CUESTIONE EL PRIVILEGIO DE SU JEFE Y MANEJAR CON PREPOTENCIA PARA QUE A LOS "PINCHES GATOS" NI SE LES OCURRA ACERCARSE AL PATRÓN. CHALE.

CHSST, REINITAAA...

"HACER UN FAVOR"

DEGRADANTE MECANISMO DE ASCENSO LABORAL; TÍPICAMENTE ES UNA CONDICIÓN FIJADA POR UN JEFE ABUSIVO QUE BUSCA EXTORSIONAR A UNA EMPLEADA...O EMPLEADO. LOS HAY DE TODO TIPO.

"HACERSE DE LA VISTA GORDA"

CEGUERA TEMPORAL AUTOINFLIGIDA QUE SE PRESENTA OPORTUNAMENTE CUANDO PRESENCIAMOS ACTOS CORRUPTOS QUE QUIZÁ NOS CONVIENEN.

HALCÓN

APODO DE NIÑOS, TAXISTAS, FRANELEROS Y HASTA POLICÍAS QUE RECIBEN UNA LANITA DEL CRIMEN ORGANIZADO A CAMBIO DE IDENTIFICAR A LAS PERSONAS QUE TRANSITAN POR LAS CALLES DE MÉXICO. NO VAYA A SER QUE UN ENEMIGO SE CUELE EN LA "PLAZA".

HUACAL

CAJITA ARTESANAL DISEÑADA PARA CARGAR FRUTAS Y VERDURAS, PERO ADAPTADA PARA EXPROPIAR LA VÍA PÚBLICA. AL IGUAL QUE LAS CUBETAS, LOS BOTES Y HASTA LAS MECEDORAS, ES COMÚN VERLOS ABAJITO DE LAS BANQUETAS PARA DECIRLE AL MUNDO QUE, POR MIS HUEVOS, ESE LUGAR ME PERTENECE.

IGLESIA

ORGANIZACIÓN RELIGIOSA QUE PROMETE LA VIDA DESPUÉS DE LA MUERTE Y OFRECE, PA' SUS DIRIGENTES, PLANES DE INTERCAMBIO CULTURAL CON OTRAS CONGREGACIONES CUANDO LAS ACUSACIONES DE PEDERASTIA SUBEN DE NIVEL. ESPEREMOS QUE LA HUMILDAD DEL PAPA FRANCISCO SIRVA COMO INSPIRACIÓN DIVINA PARA QUE EMPIECEN A COMPORTARSE EN CONSONANCIA CON LO QUE PREDICAN.

INDIFERENCIA

ENFERMEDAD CRÓNICA Y TAN SERIA COMO LA DIABETES. EL PACIENTE SE INFECTA AL OBSERVAR UN HECHO ILÍCITO. EL SÍNTOMA PRINCIPAL ES EL DOLOR DE GARGANTA QUE IMPIDE ABRIR LA BOCA PARA DENUNCIAR, SEGUIDO DE PÉRDIDA DE VISIBILIDAD, QUE DESEMBOCA EN "HACERSE DE LA VISTA GORDA". SE RECOMIENDA UN TRATAMIENTO DE SENSIBILIZACIÓN ANTE LO VERDADERAMENTE IMPORTANTE Y DOSIS DIARIAS DE INDIGNACIÓN Y DENUNCIA (VÉASE *HACERSE DE LA VISTA GORDA*).

INFORMALIDAD

EMPRENDEDURISMO CALLEJERO. ACTO DE SUPERVIVENCIA DE LO QUE VIENE SIENDO LA INICIATIVA PRIVADA DE LOS QUE MENOS TIENEN, PARA QUIENES LA ESTABILIDAD ECONÓMICA, LA SEGURIDAD SOCIAL Y LA DECLARACIÓN FISCAL SON ILUSIONES AMBULANTES.

JINETEO

HABILIDAD NIVEL "CAMPEÓN RUSO DE AJEDREZ" PA' HACER EL FAMOSO ENROQUE DE RECURSOS DESTINADOS Y MUY COMPROMETIDOS PARA UNA COSA COMÚNMENTE LLAMADA "PARTIDA" A FIN DE EMPLEARLOS EN OTRAS PARTIDAS DONDE EL GASTO ES, DIGAMOS, MÁS CONVENIENTE.

JUSTICIA
POR MANO PROPIA

A FALTA DE UN SISTEMA DE JUSTICIA EFECTIVO –YA NO SE DIGA CONFIABLE–, ESTE MÉTODO EMPÍRICO SE BASA EN EL ANTIGUO ADAGIO DEL "OJO POR OJO". EL CASTIGO DE LA BANDA TOMA LA FRUSTRACIÓN Y LA IMPOTENCIA ANTE UN DELITO EN PARTICULAR Y LAS TRANSFORMA EN IRA COLECTIVA DESMEDIDA –UNA MADRIZA CÓSMICA–. SU PRODUCTO MEJOR ACABADO SE DENOMINA "AUTODEFENSAS".

LADY

ESPECIE RAPAZ CUYO APELATIVO NACIÓ EN LAS REDES SOCIALES. CONCIBE SU CIUDADANÍA COMO UNA DE NATURALEZA PRIVILEGIADA CON GRADO DE NOBLEZA #POPOF. SU REFINAMIENTO SE EXHIBE MEDIANTE UN COMPORTAMIENTO PREPOTENTE, DÉSPOTA, CARENTE DE CIVISMO E IGNORANTE DE LAS REGLAS MÍNIMAS DE CONVIVENCIA SOCIAL. ESTE TRATAMIENTO SUELE ACOMPAÑARSE DE UN SUSTANTIVO QUE DESCRIBE LA ACTIVIDAD O EL LUGAR EN QUE ESTOS SERES EJERCEN SU NOBLEZA EN ALGÚN MOMENTO DETERMINADO (POR EJEMPLO, LADY POLANCO, LADY BASURA, LADY CHILES O LADY SENADORA).

LORD O #PAPALORD

MIRREY CAPTADO EN FLAGRANCIA COMETIENDO UN ACTO ILÍCITO. LOS HAY DE TODOS TIPOS: LORD ME LA PELAS, LORD FERRARI, LORD POR TUS HUEVOS Y, CLARO, EL INOLVIDABLE Y ENTRAÑABLE LORD ROLLS ROYCE (VÉASE TAMBIÉN *LADY*).

MENTIR

DECIR CUALQUIER VERSIÓN DISTINTA DE LA NETA. DESVIARSE DE LO QUE ES CIERTO DELIBERADA Y MAÑOSAMENTE, CON LA SOLA ENCOMIENDA DE SACAR PROVECHO DEL INCAUTO QUE SE CREE LA FALSEDAD.

MICROBÚS/AUTOBÚS COMBI/CAMIÓN

PRODIGIOS DE LA MOVILIDAD CHILANGA Y DE OTRAS URBES QUE DESAFÍAN TODAS LAS REGLAS DE PROTECCIÓN CIVIL, AMBIENTALES Y DE LA FÍSICA. JAULAS URBANAS MUCHO MÁS CHONCHAS POR DENTRO QUE POR FUERA Y QUE TRANSPORTAN SERES CUYA HUMANIDAD SE PONE EN DUDA DURANTE EL TRAYECTO. SON COMO VEHÍCULOS DE CARRERAS NO OFICIALES
–Y MUCHAS VECES IRREGULARES– QUE EMPLEAN PISTAS NO OFICIALES Y COBRAN TARIFAS NO OFICIALES GRACIAS A UNA CONCESIÓN CUYA OFICIALIDAD TAMBIÉN ESTÁ EN DUDA.

MORDIDA/MOCHE

SEGÚN LA LEYENDA, A FUERZA DE REPETIRLA A GRITOS FRENTE A LOS PASTELES DE CUMPLEAÑOS DE LOS NIÑOS, LA PALABRA *MORDIDA*, QUE CONSTITUYE LA PIEDRA ANGULAR DE LA CORRUPCIÓN, SE INOCULÓ EN LA SANGRE MEXA. SE TRATA DE UN SOBORNO –BIYIK, MARMAJA, VILLANO– QUE SE OFRECE COMO TRIBUTO AL DIOS FACILITADOR DE TRÁMITES O ANULADOR DE INFRACCIONES DE TRÁNSITO MEDIANTE SU PROFETA EN LA TIERRA: EL FUNCIONARIO DE VENTANILLA O EL POLICÍA DE TRÁNSITO (VÉASE *BURÓCRATA*). A CAMBIO DE ESTAS MANDAS MONETARIAS, LOS DIOSES NOBLES CONCEDEN LOS FAVORES SOLICITADOS. TAN GRANDES SON LA TRADICIÓN Y EL CULTO A ESTA PRÁCTICA QUE CONOCE OTROS NOMBRES EN DIFERENTES REGIONES, COMO "BRINDAR EL APOYO", "AHÍ PA'L CHESCO", "SE LE VA A DAR LA ATENCIÓN", ENTRE OTRAS SENTENCIAS QUE LOS PROFETAS EMPLEAN EN EL RITUAL.

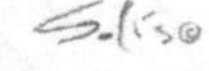

NARCOCULTURA

CÚSPIDE DE LA ACEPTACIÓN, DIGNIFICACIÓN Y GLORIFICACIÓN DE LA VIOLENCIA (VÉASE *CHAPO*). ¿POR QUÉ EL MODELO DE LA INFANCIA ES UN TRAFICANTE Y NO UN PREMIO NOBEL? ESTA CULTURA HA INUNDADO EL PENSAMIENTO A RITMO DE CORRIDO Y CON SU PRODUCTO MEJOR ACABADO, EL AFAMADO MOVIMIENTO ALTERADO, QUE NOS CANTA "CON CUERNO DE CHIVO Y BAZUCA EN LA NUCA..." #FIERROPARIENTE.

NEGOCIAZO

TRANSACCIÓN COMERCIAL A LA QUE LE VALEN GORRO LOS PRINCIPIOS MICROECONÓMICOS DE OFERTA Y DEMANDA. NORMALMENTE ES LLEVADO A CABO POR UN BISNERO –USUALMENTE PARIENTE O AMIGO DE UN SERVIDOR PÚBLICO– QUE OFRECE PRODUCTOS O SERVICIOS A UN DEMANDANTE LLAMADO GOBIERNO QUE NO SE MOLESTA EN REVISAR LA COTIZACIÓN Y EMITE CHEQUES COMO ESTAMPILLAS POSTALES (VÉASE *BISNES*).

"NO IMPORTA QUE ROBE, PERO QUE SALPIQUE"

PRINCIPIO ÉTICO BÁSICO QUE COLOCA AL CIUDADANO COMO JUEZ PATERNAL Y BUENA ONDA QUE CONSIENTE QUE SUS GOBERNANTES SE ATASQUEN SAQUEANDO LAS ARCAS NACIONALES MIENTRAS SE ACUERDEN DE "NOSOTROS LOS POBRES" Y DEJEN CAER DELIBERADAMENTE LAS MIGAJAS DE UN NEGOCIAZO QUE NOS PERMITA SOBREVIVIR UN SEXENIO MÁS.

"NO REPORTAR CON NÓMINA O FACTURA"

SITUACIÓN EN QUE UN CIUDADANO CUALQUIERA PUEDE SER VÍCTIMA O VICTIMARIO. PARA EL PRIMER CASO SE NECESITA UN TRABAJADOR CON HARTA NECESIDAD Y UN PATRÓN DISPUESTO A USAR COMO SERVILLETA LOS DERECHOS LABORALES Y AHORRARSE LA SEGURIDAD SOCIAL, LA ANTIGÜEDAD Y CUALQUIER OTRA PRESTACIÓN QUE EL ILUSO TRABAJADOR MEREZCA. EL SEGUNDO CASO OCURRE CUANDO POR MILAGRO SE HACE UNA TRANSACCIÓN COMERCIAL QUE NO QUEDA REGISTRADA EN NINGÚN LADO, ESPECIALMENTE EN HACIENDA. COMIENZA CUANDO UNO MISMO TIENTA A LA SUERTE PARA QUE OCURRA EL MILAGRO MEDIANTE LA PREGUNTA: "¿Y NO SE PUEDE SIN FACTURA?"

OUTSOURCING
(SE LEE ÁUTSORCIN)

TECNOLOGÍA INNOVADORA PARA FACILITAR LA VIDA DE LOS PATRONES. GRACIAS A ELLA SE OBTIENEN LOS BENEFICIOS DE UN COLECTIVO CALIFICADO DE GODÍNEZ SIN TENER QUE PREOCUPARSE POR ASUNTOS TAN TEDIOSOS COMO SEGURIDAD SOCIAL, ANTIGÜEDAD O ESTABILIDAD ECONÓMICA. TAMBIÉN ES LA PRINCIPAL FUENTE DE INGRESOS DE CIENTOS DE ABOGÁNSTERS Y BISNEROS.

PADROTE

CHAVORRUCO DE *LOOK* LEVANTA PAPAYAS CUYA PRINCIPAL FUENTE DE INGRESOS ES LA EXPLOTACIÓN DE MUJERES POR MEDIO DE EXTORSIONES, VEJACIONES Y AMENAZAS. TIPAZOS.

PARA-CAIDISTA

HABITANTE DE UN ASENTAMIENTO IRREGULAR QUE, CON TIEMPO, LÁMINA Y EL INTERÉS VALEMADRISTA DE ALGUNOS POLÍTICOS POR HACERSE DE VOTOS, SE ACEPTA COMO NORMAL Y SE AGREGA A LA VORAZ MANCHA DEL DESORDEN URBANO.

PEJEZOMBI

¿QUE SI EL LÍDER SUPREMO DECIDE ADHERIR A LA CNTE A SU LUCHA? NO HAY PEDO. ¿QUE SI DESCONOCEMOS LA FUENTE DE SUS INGRESOS DURANTE LA ÚLTIMA DÉCADA? VALE MADRE. ¿QUE SI PROPONE SOMETER A PLEBISCITO TU DERECHO A CASARTE CON QUIEN SE TE HINCHE LA REGALADA GANA? EEEEEQUIS. LOS PEJEZOMBIS SON ESOS SEGUIDORES IRREFLEXIVOS DEL LÍDER HONESTO Y VALIENTE DE LA IZQUIERDA MEXICANA, DISPUESTOS A PERDONARLE TODO.

ARTICULOS PUBLICADOS
TESIS

PIRATERÍA

REDISTRIBUCIÓN SOCIAL DE LA CULTURA DE HOLLYWOOD. ACTIVIDAD QUE REQUIERE CONTAR CON UN BUEN CURADOR Y COMERCIALIZADOR AMBULANTE DE DISCOS O DESARROLLAR APTITUDES PARA ENCONTRAR CUALQUIER CONTENIDO MULTIMEDIA EN LÍNEA, POR MÁS RECIENTE QUE SEA EL ESTRENO. LA PERSONALIDAD DEL ASÍ LLAMADO "PIRAÑA" LO EMPUJA A HACER GALA DE ESAS DOTES DE ESCAPISTA DE LOS DERECHOS COMERCIALES Y A BURLARSE DEL CORSARIO QUE COMPRA CONTENIDOS LEGALMENTE, DE MODO QUE NO DEBE CONFUNDIRSE EL TÉRMINO: TANTO EL QUE COMPRA COMO EL QUE VENDE LO SON. ENTRE PIRATAS TE VEAS, REZA EL REFRÁN.

PLAGIO

HABILIDAD PARA PENSAR EXACTAMENTE LA MISMITA IDEA –CON IDÉNTICOS PUNTOS Y COMAS– DE UN AUTOR QUE YA LA PUBLICÓ Y OBTENER ESTÍMULOS A LA PRODUCCIÓN CIENTÍFICA POR PUBLICARLA EN OTRO LADO.

PLAZA HEREDADA

PATRIMONIO INMATERIAL DE LA HUMANIDAD CORRUPTA (PIHC). ESA PLAZA QUE TANTO TRABAJO COSTÓ AL ABUELO PAGAR O CONSEGUIR NO PUEDE PERDERSE CON SU RETIRO. OLVÍDATE DE HEREDAR PARCELAS O BORONITAS; LO DE HOY SON PUESTOS ESTABLES, LEGALES Y PERFECTAMENTE TRANSFERIBLES.

POBREZA

FRASE BUROCRÁTICA QUE SE REPITE CADA SEIS AÑOS Y QUE ES LA SEÑAL DE SALIDA PARA ROBAR DE MANERA DESCARADA ANTES DE QUE TERMINE EL SEXENIO.LO QUE PARA UNOS ES "UN MITO GENIAL", PARA OTROS ES EL PRINCIPAL PROBLEMA DE MÉXICO. DE LO QUE NO CABE DUDA ES DE QUE LA CORRUPCIÓN ES UNO DE LOS PRINCIPALES OBSTÁCULOS PARA VENCERLA (VÉASE *LA POBREZA ES UN MITO GENIAL*).

“PONERSE GUAPO”

VARIANTE DE “MOCHARSE” O “PONERSE LA DEL PUEBLA”, NO TIENE NADA QUE VER CON ARREGLARSE EL CABELLO –O EL COPETE– PARA UNA OCASIÓN ESPECIAL. VIENE SIENDO LA SEÑAL DISFRAZADA PARA ANUNCIARLE AL CIUDADANO QUE EN ESE PRECISO INSTANTE SE PUEDE APLICAR UNA TRANSA QUE AGILICE O ANULE CUALQUIER TRABA O ESPERA ADMINISTRATIVA, SIEMPRE Y CUANDO HAYA DISPONIBILIDAD Y BILLETES QUE ACEITEN EL PROCESO.

PRESTAR

VERBO QUE, POR LA PROLIFERACIÓN DE FINANCIERAS PATITO, SUELE USARSE A LA INVERSA DE SU SIGNIFICADO PARA REFERIRSE AL ACTO DE PEDIR DINERO PRESTADO A UNA “INSTITUCIÓN FINANCIERA” A FIN DE CUBRIR EL GASTO EN LOS HOGARES DE MÉXICO. AUNQUE EN ALGUNOS CASOS ESTA AYUDADITA SE OFRECE EN CONDICIONES RAZONABLES Y RESULTA UN GRAN ALIVIANE PARA QUIENES LA SOLICITAN, POR LO GENERAL FUNCIONA COMO UNA DROGA SUMAMENTE ADICTIVA QUE LOS DEJA DE PATITAS EN LA CALLE. ACASO POR ESO DICEN QUE PRESTAR EN REALIDAD SE REFIERE A “PRESTAR TU CASA PORQUE CON TASAS DEL 200% SEGURO SE LA VAN A QUEDAR”.

PRIVATIZACIÓN

PERIODO CLÁSICO DEL SURGIMIENTO DE MULTIMILLONARIOS MEXICANOS, CARACTERIZADO POR LA VENTA DE EMPRESAS PARAESTATALES Y LA ASIGNACIÓN DE CONCESIONES PÚBLICAS A PRECIOS DE REMATE. SI BIEN ERA NECESARIO “ADELGAZAR” NUESTRO OBESO PARTIDO-ESTADO, VARIOS DE LOS GANONES SON PERSONAJES A LOS QUE POR ENTONCES NI LA BICI LES PRESTABAN.

PRIVILEGIOS FISCALES

LA APLICACIÓN DISPAREJA DE LAS REGLAS DEL SISTEMA TRIBUTARIO SE EVIDENCIA CUANDO A LOS "PECES GORDOS" QUE TRAFICAN CON INFLUENCIAS SE LES INVITA A CUMPLIR CON OBLIGACIONES FISCALES PERDONADAS, AMINORADAS Y SUAVIZADAS POR SU GRAN CONTRIBUCIÓN AL DESARROLLO ECONÓMICO DEL PAÍS, MIENTRAS QUE A LA BANDA DE A PIE LA DEJAN MÁS SECA QUE UN TINACO EN SEMANA SANTA. OJO, ALGUNOS "PECECITOS" TAMBIÉN GOZAN DE PRIVILEGIOS, POR SI DUDABAS DE QUE MÉXICO ES BIEN DEMOCRÁTICO.

PROGRE

DÍCESE DE LA NUEVA IZQUIERDA DE CAVIAR MEXICANA. SUS PRINCIPIOS SOCIALES SON TAN FUERTES COMO SU NECESIDAD DE TOMARSE UNA SELFIE MARCHANDO EN REFORMA LUCIENDO ZAPATOS LOUIS VUITTON Y DE BEBER MEZCAL EN ALGÚN BAR *TRENDY* DE LA CONDECHI. Y OBVIO, PARÍS ES LA ONDA.

PROGRESO/ SOLIDARIDAD/ RENACIMIENTO

ALGUNOS DE LOS NOMBRES ALEGRES Y EMOCIONANTES CON LOS CUALES NUESTROS GOBERNANTES HAN BAUTIZADO MUCHAS DE LAS COLONIAS MÁS POBRES DE MÉXICO. ¿O ACASO NO TE PARECE CHISTOSO? AMARGADO.

PROPINA

EUFEMISMO QUE USAMOS PARA REFERIRNOS A LOS PAGOS EXTRAOFICIALES (LÉASE SOBORNOS) QUE HACEMOS CON ENORME LIGEREZA CON TAL DE RECIBIR SERVICIOS PÚBLICOS QUE NO DEBERÍAN COSTARNOS NADA O POR LOS QUE YA PAGAMOS. EL DINERITO QUE LES DAS A LOS DEL CAMIÓN DE LA BASURA QUIZÁ SEA EL MEJOR EJEMPLO.

RATÓN

PELIGROSO ANIMAL AL ACECHO CONSTANTE DE LOS USUARIOS DE TAXIS; SU TÉCNICA DE CACERÍA CONSISTE EN ALTERAR EL "SALTO" NUMÉRICO POR TIEMPO O DISTANCIA DE LOS TAXÍMETROS PARA QUE LOS PASAJEROS NO SE DEN CUENTA DE QUE LES ESTÁN DRENANDO LA SANGRE DE LOS BOLSILLOS.

REVENTA

FENÓMENO SECUNDARIO QUE ACOMPAÑA AL PRINCIPAL "HÍJOLE, JOVEN, YA NO HAY BOLETOS", QUE USUALMENTE TIENE LUGAR EN EVENTOS DEPORTIVOS Y CULTURALES DE GRAN INTERÉS. AFUERA DE LAS SALAS DE CONCIERTOS UN GRUPO DE GENIOS DEL PRINCIPIO DE LA OFERTA Y LA DEMANDA REZAN: "¿LE FALTA O LE SOBRA? ¿LE FALTA O LE SOBRA?" PIERDE CUIDADO: NO HAY DOBLE SENTIDO EN ESTE PREGÓN QUE TRIPLICA O CUADRUPLICA EL VALOR MARCADO EN EL BOLETO.

"ROBADO, ROBADO, PERO NO USADO"

FRASE DE VENTA PROPIA DE DOCENAS DE TIANGUIS Y PLAZAS DE LA CIUDAD DE MÉXICO DONDE LO IMPORTANTE NO ES EL ORIGEN DE LA MERCANCÍA SINO EL PRECIO Y LO BIEN CUIDADO QUE SE VEA EL PRODUCTO (QUE NO ESTÁ PISADO). HAY GENTE CON TANTA SUERTE QUE TERMINA ADQUIRIENDO EL CELULAR QUE LE ROBARON EN EL TRANSPORTE PÚBLICO LA SEMANA ANTERIOR.

ROBIN HOOD

(LÉASE CON TONO INSPIRADOR) BANDIDO DE NOBLE CORAZÓN QUE SE LA PASABA AYUDANDO A LOS POBRES Y OPRIMIDOS, ROBANDO A LOS RICOS Y REPARTIENDO EL BOTÍN ENTRE LAS CLASES MÁS VULNERABLES. NO, YA EN SERIO, SÍ ERA UN BANDIDO, COMETÍA ACTOS ILEGALES, VIVÍA FUERA DE LA LEY, ROBABA, NO PAGABA TRIBUTO Y ERA PARACAIDISTA (INVADIÓ VARIOS PREDIOS DEL BOSQUE DE SHERWOOD). ASÍ QUE, ANTES DE TOMAR COMO EJEMPLO A ROBIN HOOD O COMPARARTE CON ÉL, DATE UN RATO PARA ANALIZARLO. YA TENEMOS SUFICIENTES MALOS REFERENTES CON CHAPOS, REINAS DEL SUR, MÓNICAS ROBLES Y SEÑORES DE LOS CIELOS.

"SE LO DEJO A SU CRITERIO"

PROPUESTA INDECOROSA VERSIÓN VENTANILLA DE ATENCIÓN. OBLIGA A UN USUARIO A PENSAR "CUÁNTO VALE LO NUESTRO" O, DE MANERA MÁS PRECISA, "CUÁNTO VALE EL FAVOR MÁS ALLÁ DE MIS ATRIBUCIONES QUE TE ESTOY HACIENDO". TODO UN ROMANCE CON AROMA A BUROCRACIA.

"SACAR VENTAJA"

APROVECHAR LA CALABACEADA DE UN RIVAL EN UNA JUSTA DEPORTIVA EN LA QUE TODOS LOS COMPETIDORES EMPEZARON EN CONDICIONES IGUALES ES MUY VÁLIDO. EN CAMBIO, APROVECHAR EL DESCONOCIMIENTO DE LA BANDA O DETERMINADA POSICIÓN EN LA JERARQUÍA PARA SACAR VENTAJA DE UN INCAUTO, NO TANTO.

"SEGURO ANDABA METIDO EN ALGO"

SENTENCIA PREJUICIOSA QUE SOLEMOS DECIR CON ALARMANTE LIGEREZA CUANDO NOS ENTERAMOS DE LA MUERTE VIOLENTA DE ALGÚN (CASI SIEMPRE JOVEN) MEXICANO. ¿TE PARECE CHISTOSO?

SEMÁFOROS

DÍCESE DE LOS POSTES CON LUCECITAS DE COLORES NAVIDEÑOS QUE SIRVEN COMO TENTATIVAS DE ALTO EN LOS CRUCEROS MÁS PELIGROSOS Y TRANSITADOS DE LA CDMX. OJO, PASÁRTELOS DE MANERA DEMASIADO MANCHADA PUEDE SER PRETEXTO PARA QUE ALGÚN POLICÍA TE PIDA QUE LE ACEITES LA MANO (SIN ALBUR).

SINDICALISMO

CUANDO SE TRATA DE DERECHOS -INDIVIDUALES O COLECTIVOS-, PERSISTE EL ERROR COMÚN DE CONSIDERAR QUE SON UNA CARTA NEGOCIABLE CON EL GOBIERNO Y NO UNA GARANTÍA UNIVERSAL Y FORMAL. ES EL JALONEO DE COBIJA PARA QUE ALGUNOS LÍDERES OBTENGAN NOMÁS PARA ELLOS LO QUE DEBIERA SER OBLIGATORIO PARA TODOS A CAMBIO DE ARRASTRAR NUESTRA PERSONA, VOTO Y VOLUNTAD A DONDE NO QUEREMOS IR.

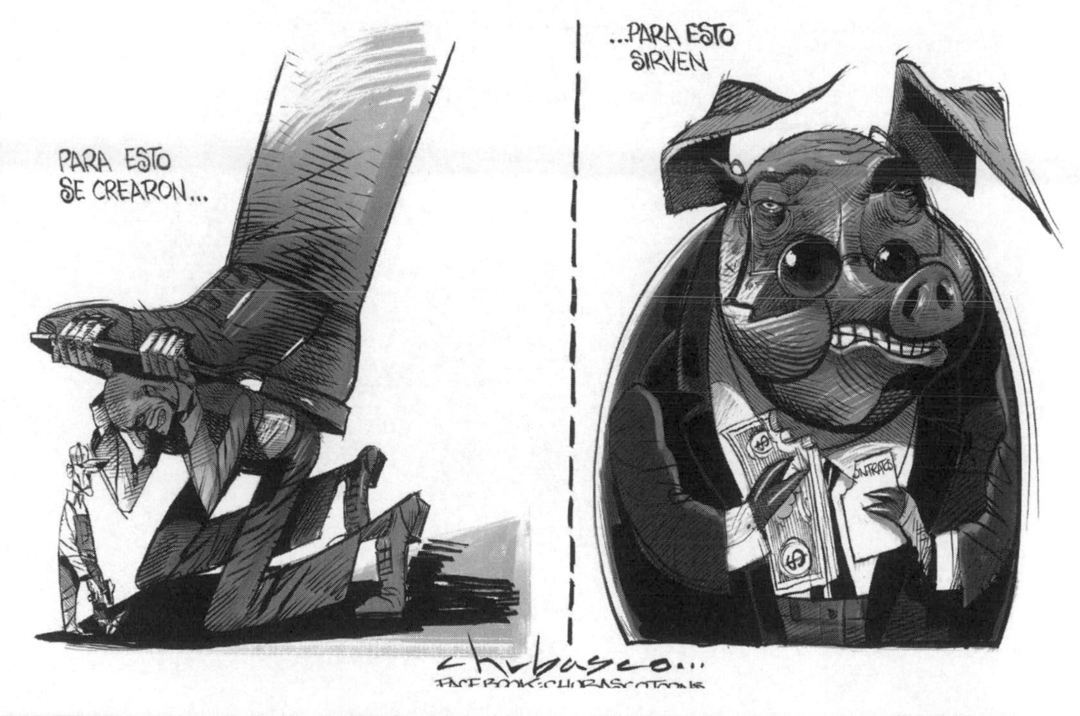

SOBORNO

POR MOMENTOS PARECE SER UNA DIVISA MÁS FRECUENTE Y VALORADA QUE LOS BILLETES VERDES. EN REALIDAD, EL TIPO DE CAMBIO FLUCTÚA –OSÉASE, VA PA'RRIBA O PA'BAJO– DEPENDIENDO DEL TAMAÑO DE LA TRANSA, LA GRAVEDAD DE LA FALTA O LA DIMENSIÓN DEL NEGOCIO QUE SE ESTÉ AMAÑANDO. AL MENOS SE TRATA DE UNA DIVISA QUE NO DISCRIMINA Y LO MISMO ES APRECIADA POR OFICIALES DE TRÁNSITO QUE POR BISNEROS Y ALTOS FUNCIONARIOS.

SOPLÓN

MANERA DE REFERIRSE AL OJETE TRAICIONERO QUE SE ATREVE A DENUNCIAR O HACER PÚBLICO ALGÚN DELITO O ACTO DE CORRUPCIÓN. ¿O ACASO TE PARECE QUE ESTÁ BIEN IR POR LA VIDA EVIDENCIANDO LAS MORDIDAS, LOS BISNES Y LAS TRANSAS DE MILES –¿MILLONES?– DE MEXICANOS? ¿NO TE ENSEÑARON A NO METERTE DONDE NADIE TE LLAMA? ¡AH!, ¿VERDAD?

TANDEAR

REPARTIR EL AGUA ENTRE COLONIAS POR TANDAS...PARA QUE ALCANCE. SI BIEN PARECE UNA MEDIDA INGENIOSA, EFICIENTE Y HASTA JUSTA ANTE LA ESCASEZ, BASTA DARSE UNA VUELTA POR IZTAPALAPA PARA DESCUBRIR QUE ES LA PRINCIPAL CONSECUENCIA DE LA CORRUPCIÓN EN EL SUMINISTRO DEL AGUA EN LA CIUDAD DE MÉXICO. LO PEOR ES QUE LA MISMA HISTORIA SE REPITE A LO LARGO Y ANCHO DE NUESTRA BELLA REPÚBLICA.

TAXI PIRATA

CAMALEÓNICO TRANSPORTE PÚBLICO DIESTRO EN EL ARTE DE LA IMPOSTURA. PARECE TAXI, HUELE A TAXI, CONDUCE TAN MAL COMO UN TAXI, PERO NO ESTÁ REGISTRADO EN INSTITUCIÓN ALGUNA. ESO NO QUIERE DECIR QUE NO APORTE UN PORCENTAJE DE SU RIQUEZA PIRATA A GRUPOS DE INTERÉS VARIADOS.

TÉIBOL

ESPACIO DE RECREO DE MILLONES DE HOMBRES MEXICANOS, QUIENES ACUDEN A ÉL PUNTUALMENTE DESPUÉS DE LA PEDA (O DE PISTEAR, DEPENDIENDO DE LA REGIÓN DONDE VIVAS) PARA PERDER SU QUINCENA A CAMBIO DE ALCOHOL ADULTERADO Y BAILES EXÓTICOS COMO LOS DE LA AFAMADA MONTANA (VÉASE *MONTANA*). LA MAYOR PARTE DE LAS VECES SON SITIOS LLENOS DE CORRUPCIÓN, POR SER CENTROS DE TRATA, EXTORSIÓN Y VENTA DE POMOS FALSIFICADOS, ENTRE OTRAS COSITAS.

TRÁMITE

PROCEDIMIENTO OBLIGATORIO –E INCLUSO GRATUITO EN UN CONSIDERABLE NÚMERO DE CASOS– QUE LAS OFICINAS DE GOBIERNO INTENTAN HACER PASAR COMO UN FAVOR AL CONTRIBUYENTE –A NOSOTROS, PUES–. TE QUITAN TU TIEMPO, LA ESPERANZA DE ARREGLAR EL ASUNTO QUE TE PREOCUPA, TU LANA, Y, ENCIMA DE TODO, TE ATIENDEN CON LA PEREZA DE UN OSO QUE ESTÁ MUY LEJOS DEL DESFILE DE PRIMAVERA.

TRANSAR

UN CÉLEBRE CANTAUTOR Y FILÓSOFO ALGUNA VEZ RECITÓ: "LA CORRUPCIÓN ES VERBO, NO SUSTANTIVO". TENÍA RAZÓN. PARA QUE CUALQUIERA DE LOS ACTOS QUE SE MENCIONAN EN ESTE COMPENDIO TENGA EFECTO, SE REQUIEREN INDIVIDUOS QUE PASEN DE LA INACTIVIDAD A LA ACCIÓN. EL QUE TRANSA AVANZA HACIA EL VACÍO MORAL Y HACIA EL ENRIQUECIMIENTO ILÍCITO DE QUIENES SE APROVECHAN.

USO DE SUELO

EXPERTOS INVESTIGADORES EN LA TRAZA URBANA –*TRAZA*, NO *TRANSA*– DETERMINAN LA TENDENCIA Y LOS PATRONES DE CRECIMIENTO EN LAS CIUDADES PARA IDENTIFICAR QUÉ ZONAS SON SUSCEPTIBLES DE ALBERGAR NUEVOS DESARROLLOS HABITACIONALES O COMERCIALES. ESAS LICENCIAS TÉCNICAS PROVOCAN LA CARCAJADA DE DESARROLLADORES A QUIENES NO LES FALTAN RAZONES NI DINERO PARA MODIFICAR DICHOS PERMISOS.

USOS Y COSTUMBRES

FORMA DE AUTOGOBIERNO PRACTICADA EN CIENTOS DE COMUNIDADES INDÍGENAS A LO LARGO DE MÉXICO. SI BIEN FUE PENSADA COMO UN INSTRUMENTO PARA REIVINDICAR DERECHOS Y REPARAR LOS DAÑOS HISTÓRICOS INFLIGIDOS A ESAS COMUNIDADES, TAMBIÉN SE HA PRESTADO PARA JUSTIFICAR ATROPELLOS A LOS DERECHOS DE LAS MUJERES. POR ESO HAY QUIENES SE REFIEREN A ELLOS COMO "ABUSOS Y COSTUMBRES".

Linea 2
Lleve disco compacto...
música de los dioses...
lo mejor del reguetón...

VAGONERO

Versión evolucionada del vendedor de puerta en puerta que, dependiendo de la temporada, ofrece colecciones de desarmadores, cortaúñas, capas para la lluvia, plumones y la mejor selección de canciones del verano en formato emepetrés. Dotados de una mochila que parece la caja de la armadura de los Caballeros del Zodiaco, el superpoder de estos comerciantes es elevar sus decibeles hasta que dejen de escucharse la autoridad o cualquier reclamo de contaminación auditiva.

VIP

Very Immune People. De esa gente que nunca conocerá el castigo de sus actos ilegales porque "qué oso, güey" (véanse *lady*, *lord* y *mirrey*).

VIVO (SER BIEN)

Cualidad mexicana —muy asociada con la población chilanga, anda tú a saber por qué— igual de presumible que el tequila o la tortilla. Dícese del que se sale siempre con la suya, sin importar por encima de quién tenga que pasar, a quién tenga que fregar o cuántas trancas se brinque en el proceso.

...TERCERA PERSONA DEL PLURAL?
QUE ROBEN PERO SALPIQUEN.
...PARTICIPIO?
SI LOS DEMÁS LO HACEN, PORQUÉ YO NO?
...INFINITIVO?
PSSS, YA QUÉ!
CORRUPCIÓN
Solís

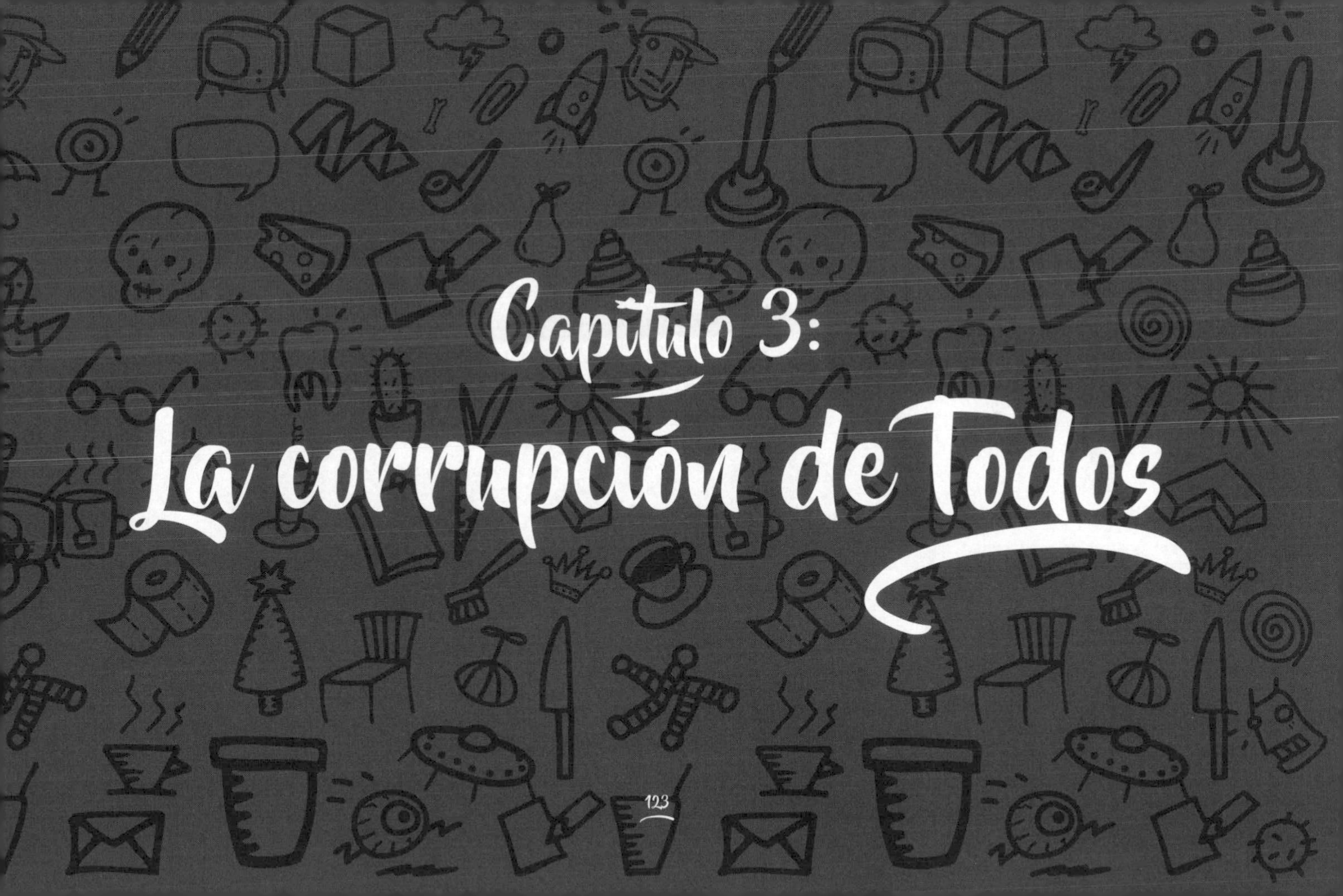

Capítulo 3:

La corrupción de Todos

#3DE3

SEÑAL DE VIDA DEL COMPROMISO ANTICORRUPCIÓN DE LA SOCIEDAD CIVIL MEXICANA. OBLIGAR A TODOS LOS POLÍTICOS A PRESENTAR SU DECLARACIÓN PATRIMONIAL, FISCAL Y DE INTERESES ES UN PRIMER PASO CLARO Y CONTUNDENTE PARA COMBATIR LA CORRUPCIÓN "DE ELLOS". A DARLE.

ABOGÁNSTER

APODO DEL RENOMBRADO JURISTA BERNABÉ JURADO, MUNDIALMENTE CONOCIDO POR SU CORRUPCIÓN Y RAPACIDAD, PERO SOBRE TODO POR SU CAPACIDAD DE COBIJARSE Y ESCALAR ENTRE LOS "PECHOS PRIVILEGIADOS" DE LA POLÍTICA Y LA SOCIEDAD MEXICANAS A LO LARGO DEL SIGLO XX. HOY SUELE USARSE PARA REFERIRSE DE MANERA CARIÑOSA A CUALQUIER "LICENCIADO" O ESTUDIANTE DE ESA ELEGANTE PROFESIÓN QUE TE OFRECE SUS SERVICIOS FRENTE AL MINISTERIO PÚBLICO PARA SACARTE UNA SUCULENTA TAJADA. ENTRE ÉSTOS HAY QUIENES SE CREEN MÁS PADROTONES Y PROMETEN DISEÑAR UNA "ESTRATEGIA FISCAL" QUE TE PERMITA EVADIR IMPUESTOS Y HASTA HACER BISNES CON EL GOBIERNO. ASÍ QUE YA SABES, SI TE TOPAS CON UNO, ¡AGARRA TU CARTERA!

ACARREAR

DÍCESE DE LO QUE VIENE SIENDO APROVECHARSE DE LA NECESIDAD DE LA PERRADA PARA MOVILIZARLA A DONDE NOMÁS NO IRÍA POR GUSTO (¿O SÍ?); POR EJEMPLO, UN INFORME DE GOBIERNO, CERRAR LA CUADRA AUNQUE NO SEAN XV AÑOS O VOTAR EN MASA PARA INCLINAR LA BALANZA ELECTORAL. SE TRATA DE UN ENCANTAMIENTO DE LOS "MAGOS" (LOS LÍDERES DE LA COLONIA, PUES) QUE TÍPICAMENTE DURA TANTO COMO LA TORTA QUE LO ACOMPAÑA, PERO CUYOS EFECTOS PATERNALISTAS HACEN QUE LAS PERSONAS ENCANTADAS CONFUNDAN SUS DERECHOS POLÍTICOS Y SOCIALES CON REGALOS QUE LOS POLÍTICOS DAN SIN PEDIR "NADA" A CAMBIO (VÉANSE *COMPRA DE VOTOS* Y *CLIENTELISMO*).

ACOSO SEXUAL

SI ERES HOMBRE, LO MÁS PROBABLE ES QUE NUNCA HAYAS PERDIDO EL TIEMPO PENSANDO QUÉ ROPA USARÁS SEGÚN CON QUIÉN TE VAS A REUNIR NI HAYAS TENIDO MIEDO AL PASAR CERCA DE UN GRUPO DE MUJERES. SUENA ABSURDO, ¿NO? ¿TENERLES MIEDO A LAS MUJERES? BUENO, PUES ÉSA ES LA REALIDAD DE MILLONES DE MUJERES EN MÉXICO QUE VIVEN CON TEMOR DE SER AGREDIDAS SEXUALMENTE POR HOMBRES QUE PIENSAN QUE ES "NORMAL" GRITARLE "SABROSA" A UNA MUJER QUE VA PASANDO POR LA CALLE, LEVANTARLE LA FALDA Y AUN MANOSEARLA. AL FIN QUE TODO ES UN CHISTE, Y SI NO TIENEN SENTIDO DEL HUMOR ES SU PROBLEMA. Y TODAVÍA PUEDE SER PEOR, YA QUE MUCHAS DE ESAS SITUACIONES TERMINAN EN VIOLACIONES, TORTURA Y HOMICIDIOS, ASÍ QUE TÚ DIRÁS QUÉ TAN NORMALES SOMOS...

APOYO$

DINERO GUBERNAMENTAL (OSÉASE, DE TODOS NOSOTROS) QUE, APARENTEMENTE, PROVIENE DE UNA OLLA DE ORO INFINITA O DE ALGUNA PARTIDA QUE NADIE VA A RECLAMAR. NORMALMENTE SE EMPLEA PARA REFORZAR CAMPAÑAS, REPARTIR ELECTRODOMÉSTICOS, Y VIENE ABANDERADO DEL GENEROSO MANDATO "POR DINERO NO TE DETENGAS".

(Época de campañas)

"AQUÍ SE APLICA LA LEY DE HERODES: O TE CHINGAS O TE JODES"

BRILLANTE AFORISMO QUE REVELA QUE NO HAY ALTERNATIVA JUSTA A LAS TRANSAS DEL GOBIERNO O DE ALGUIEN MÁS. SE DICE QUE LA CREÓ EL ARQUITECTO DE LA MATRIX, JUNTO CON EL TINGLADO PERFECTO EN EL QUE LA CORRUPCIÓN FLUYE POR LAS VENAS DE TODOS PARA QUE ESTO JALE MEDIANAMENTE.

AUDITORIO CHE GUEVARA

(OTRORA JUSTO SIERRA)

FAMOSO SALÓN DE FIESTAS PSICODÉLICAS UBICADO EN EL CORAZÓN DE LA CIUDAD UNIVERSITARIA. A CASI 20 AÑOS DE HABER SIDO OCUPADO...PERDÓN, *OKUPADO* –NO NOS VAYAN A MADREAR–, HOY SIRVE DE METÁFORA DEL ESTADO (Y DEL ESTADO DE NUESTRA QUERIDA PATRIA). Y ES QUE RESULTA INCOMPRENSIBLE QUE UN GRUPÚSCULO DE ANARQUISTAS Y PERSONAS AJENAS A LA MÁXIMA CASA DE ESTUDIOS DE MÉXICO MANTENGAN SECUESTRADO DURANTE TANTO TIEMPO UN ESPACIO PÚBLICO QUE PERTENECE A TODOS LOS UNIVERSITARIOS. ESO SÍ, CON LA COMPLICIDAD DE NO POCAS AUTORIDADES Y ESTUDIANTES PARALIZADOS POR LA INDIFERENCIA (VÉASE *INDIFERENCIA*).

AUTOMÓVIL

AMO Y SEÑOR DE LAS CALLES EN MÉXICO. NO IMPORTA SI CONTAMINA, SI SE MUEVE A EXCESO DE VELOCIDAD, SI PROVOCA CONGESTIONES VIALES, SI INVADE ZONAS DESTINADAS A BICICLETAS Y PEATONES O SIRVE DE PRETEXTO PARA DESTRUIR RESERVAS ECOLÓGICAS. AL GRITO DE #MELAPELAS, NOS RECUERDA QUE EN MÉXICO RIFA LA LEY DEL MÁS FUERTE.

AYOTZINAPA

DIEZ LETRAS QUE NO SÓLO SIRVEN PARA REFERIRSE A UN POBLADO UBICADO EN LO ALTO DE LA SIERRA DE GUERRERO, SINO TAMBIÉN PARA RECORDAR UNO DE LOS EPISODIOS MÁS OSCUROS EN LA HISTORIA DE MÉXICO: EL DÍA EN QUE 43 ESTUDIANTES DE LA ESCUELA NORMAL ISIDRO BURGOS DE AYOTZINAPA DESAPARECIERON EN IGUALA A MANOS DE POLICÍAS MUNICIPALES, POLICÍAS FEDERALES, NARCOTRAFICANTES Y GATILLEROS. UNA TRAGEDIA QUE NO DESCANSAREMOS DE DENUNCIAR HASTA QUE CONOZCAMOS LA VERDAD DE LOS HECHOS. #AYOTZINAPASOMOSTODOS.

BACHE

HOYITO EN LA CALLE O LA CARRETERA QUE, SI BIEN PODRÍA USARSE PARA LA BARBACOA, SÓLO SIRVE PARA CHINGARSE TU CARRO SUAAAAVECIIITOOOO, SUAAAAVECIIITOOOO...POR SU LONGEVIDAD, SE CREE QUE SON DE ASCENDENCIA JAPONESA, Y EN ALGUNOS LUGARES LES CELEBRAN LOS CUMPLEAÑOS Y HASTA LES LLEVAN PASTEL Y MARIACHI. NO ES BROMA: BÚSCALO EN YOUTUBE COMO "¡¡FELIZ CUMPLEAÑOS, BACHE!!"

"BAJAR RECURSOS"

OBTENER RECURSOS PARA UN PROYECTO SIGUIENDO DETERMINADAS REGLAS DE OPERACIÓN, Y EMPLEAR EL CAPITAL PARA LOS FINES QUE SE PLANTEARON, ESTÁ MUY BIEN. OBTENERLOS PARA FINANCIAR CUALESQUIERA OTROS INTERESES INDIVIDUALES Y PRIVADOS, NO TANTO. SIN EMBARGO, ÉSTA ES UNA HABILIDAD QUE CASI APARECE SUBRAYADA EN EL CURRÍCULO DE ALGUNOS.

BISNERO

PERSONAJE QUE SE HACE PASAR POR POLÍTICO O EMPRESARIO Y CREE QUE PARA SER UN HOMBRE "DE ESTADO" O "DE NEGOCIOS" BASTA HACER BISNES Y NEGOCIAZOS A TRAVÉS DE MOCHES, PALANCAS Y DEMÁS ACTOS DE CORRUPCIÓN. NO APORTA NADA NI A AL GOBIERNO NI A LAS CADENAS PRODUCTIVAS DEL PAÍS; PERO, ESO SÍ, CÓMO PORTA SUS CADENOTAS DE ORO, CUAL REGUETONERO QUE PRESUME SUS MILLONES. YA NI PITBULL

(VÉANSE *BISNES* Y *NEGOCIAZO*).

BRINCO

TIPO DE EXTORSIÓN O MOCHE QUE SE APLICA EN LOS VERIFICENTROS ENTRE LOS ENCARGADOS DEL CHANGARRO QUE PIDEN UNA FERIA ANTES DE REVISAR TU AUTOMÓVIL PARA QUE "NO HAYA PROBLEMAS" Y LA GENTE QUE CREE QUE ES MÁS ECONÓMICO PAGAR UN MOCHE DE 100 PESITOS QUE LLEVAR SU AUTO A AFINAR. ¿QUÉ MÁS DA OTRA CONTINGENCIA AMBIENTAL? (VÉASE *VERIFICENTRO*).

CADENERO

SUJETO FACULTADO POR OBRA Y GRACIA DEL SEÑOR PADROTÓN PARA JUZGAR A LOS MORTALES QUE QUIEREN INGRESAR EN EL ANTRO DE MODA. SE DICE QUE "NO SE DISCRIMINA POR MOTIVOS DE RAZA, RELIGIÓN, ORIENTACIÓN SEXUAL, CONDICIÓN FÍSICA O SOCIOECONÓMICA NI POR NINGÚN OTRO MOTIVO", PERO A MÍ, QUE ESTOY FEO, NUNCA ME HAN DEJADO PASAR. ¡CHALE!

CARRUSEL

NO, NO ES UNA PRÁCTICA SEXUAL –AUNQUE, PENSÁNDOLO BIEN, PODRÍA SERLO–. EL CARRUSEL ES CUANDO, EN UNA ELECCIÓN, UN VOTANTE SACA UNA BOLETA EN BLANCO Y SE LA ENTREGA A QUIEN VIENE SIENDO EL "COMPRADOR DE VOTOS". ÉSTE LA MARCA A FAVOR DEL CANDIDATO QUE CONTRATÓ SUS SERVICIOS Y SE LA DA AL SIGUIENTE VOTANTE, QUIEN A SU VEZ LA DEPOSITA EN LA URNA NO SIN ANTES HABER RECOGIDO UNA SEGUNDA BOLETA EN BLANCO. ESTA SEGUNDA BOLETA TAMBIÉN SERÁ MARCADA POR EL "COMPRADOR DE VOTOS", QUIEN –OH, SORPRESA– LA ENTREGARÁ MARCADA AL SIGUIENTE VOTANTE. GIRA Y DA VUELTAS Y RUEDA GIRANDO... (VÉANSE *MAPACHEAR* Y *OPERADOR*).

CASO CASSEZ

TAQUILLERO MUSEO DE LO INCREÍBLE QUE DURANTE OCHO AÑOS NOS SIRVIÓ DE ESPEJO SIN QUE NOS DIÉRAMOS CUENTA. LA PUESTA EN ESCENA DE LA POLICÍA FEDERAL, LA TRANSMISIÓN "EN VIVO" DE LA APREHENSIÓN DE LOS "SECUESTRADORES", LA CONDENA PÚBLICA DE LA JOVEN (FRANCESA, SUBRAYARÍAN LOS MÁS PATRIOTAS) QUE DIO NOMBRE AL CASO, LOS APLAUSOS DE LAS MASAS HAMBRIENTAS DE VER "CULPABLES" TRAS LAS REJAS, LA DOBLE VICTIMIZACIÓN DE LAS VÍCTIMAS DEL SECUESTRO, LOS SOMBRERAZOS ENTRE ACTIVISTAS DE LA SOCIEDAD CIVIL Y LAS JUSTIFICACIONES DE UN GOBIERNO ALÉRGICO A LA AUTOCRÍTICA SON SÓLO ALGUNOS DE LOS OBJETOS MÁS EXTRAÑOS QUE PUDIMOS ENCONTRAR EN ESTA INCÓMODA COLECCIÓN. POR CIERTO, POR MÁS QUE BUSCAMOS LA VERDAD EN LAS AMPLÍSIMAS SALAS DEL MUSEO, NOS FUE IMPOSIBLE ENCONTRARLA. SÓLO VIMOS UNA VELITA PRENDIDA AL FINAL DE LA EXHIBICIÓN, ACOMPAÑADA DE LAS LETRAS "SCJN". SUPONEMOS QUE ERA UNA PIEZA DE ARTE MODERNO ABSTRACTO.

CHANTAJE

SI NO CREES QUE LA INFORMACIÓN ES PODER, HAZTE DE UN SECRETO SOBRE ALGUNA ACTIVIDAD INDEBIDA DE TU COLEGA DEL TRABAJO Y VERÁS CÓMO ADQUIERES MANO DE OBRA Y UNA FUENTE DE TRIBUTOS CASI INFINITA.

CHAPO

MÍTICO CAPO SINALOENSE DE BAJA ESTATURA Y MOSTACHO CARACTERÍSTICO, MUNDIALMENTE CONOCIDO POR PELARSE DE PRISIONES MEXICANAS DE "MÁXIMA SEGURIDAD". ES COMO SI HOUDINI, MARIO BROS Y UN TOPO CON GPS INTEGRADO HUBIERAN TENIDO UN HIJO QUE, ADEMÁS, SALIÓ REBUENO PA'L BISNES DE PASAR HACIA GABACHOLANDIA CUANTA COCHINADA ADICTIVA-ILEGAL CONSUMEN LOS GÜEROS.

CHAROLEAR

ACCIÓN DE CUALQUIER POLITIQUILLO, BISNERO O MAMÓN CON PAROS FICTICIOS O REALES EN EL GOBIERNO, QUE CONSISTE EN SOBAJAR, PADROTEAR Y ACTUAR DE MODO PREPOTENTE PARA CONSEGUIR PRIVILEGIOS COMO ASIENTOS EN PRIMERA FILA PARA VER AL PAPA O ESTACIONARSE EN PLENA PLANCHA DEL ZÓCALO CAPITALINO. TODO GRACIAS A OSTENTARSE COMO INFLUYENTE "REPRESENTANTE POPULAR", "EMPRESARIO" O "CHINGÓN".

CLASISMO

MARCA DE YERRA CON LA CUAL SE DIVIDE A LA SOCIEDAD MEXICANA EN DOS: LOS QUE SALEN EN LAS REVISTAS DE SOCIALES (LA "GENTE BIEN") Y LOS DEL MÉXICO "BRONCO" O "PROFUNDO" (¿LA "GENTE MAL"?). CUAL RESES, SE NOS SEPARA POR NUESTRO ORIGEN Y POR CÓMO NOS VEMOS, Y SE NOS HACE CREER QUE SOMOS DIFERENTES. "LOS GÜEROS ALLÁ Y LOS MORENITOS ACÁ." NETA, NO MAMEN.

CLIENTELISMO

PARTICIPACIÓN CIUDADANA A LA MEXICANA. JUNTA UN BUEN NÚMERO DE PERSONAS AL GUSTO DEL POLÍTICO QUE DESEES CONVENCER. ACÉRCATE Y HAZLE VER TU CAPACIDAD DE CONVOCATORIA. ENTONCES SÍ, NEGOCIA ASUNTOS QUE DEBIERAN SER UN DERECHO OBLIGATORIO Y, DE PREFERENCIA, BUSCA QUE EL BENEFICIO SEA SÓLO PARA TI Y LOS TUYOS.

COCHUPO

CUANDO TU CUATE Y TÚ SE PONEN DE ACUERDO PARA REALIZAR ALGO QUE NO ES CORRECTO NI LEGAL.

COMISIÓN

GRATIFICACIÓN "VOLUNTARIA" QUE SUELE PAGARSE AL POLÍTICO, COYOTE O COMPADRE QUE, POR OBRA Y GRACIA DE SU GUADALUPANA GENEROSIDAD, TUVO A BIEN FACILITAR UN BISNES O LA ASIGNACIÓN DE UN CONTRATO CON EL GOBIERNO. LAS HAY DEL 10, DEL 15 Y HASTA DEL 20%, AUNQUE DICEN QUE, POR ALLÁ EN EL NORTE, EL APÁ DE UN EX GÓBER LAS COBRABA HASTA DEL 30%.

COMPADRAZGO

EL COMPADRE HA TERMINADO INCONTABLES PROGRAMAS DE MAESTRÍA Y DOCTORADO, ASÍ COMO UN SINFÍN DE DIPLOMADOS EN LAS ARTES MÁS DIVERSAS DEL MERCADO, ADEMÁS DE CONOCER DE CIENCIA, LITERATURA Y MEDICINA. ¿QUE SE ABRE LA VACANTE DE DIRECTOR EN PROCESOS METALÚRGICOS? YO TENGO UN COMPADRE. ¿QUE HACE FALTA ADMINISTRAR UN HOSPITAL? LE AVISO AL COMPADRE. EL COMPADRE LE SABE A TODO, SI NO ¿POR QUÉ LO PONEMOS EN TODOS LADOS?

COMPETENCIA ECONÓMICA

KRIPTONITA DE LAS INDUSTRIAS NACIONALES DE PETRÓLEO, ELECTRICIDAD Y TELECOMUNICACIONES, ENTRE OTRAS RELIQUIAS DE NUESTRO PASADO NACIONAL REVOLUCIONARIO.

COMPRA DE FIRMAS

LA ESTRATEGIA MÁS EFICAZ SI QUIERES SER CANDIDATO INDEPENDIENTE O BUSCAS IMPULSAR UNA CONSULTA POPULAR, AL MENOS MIENTRAS LOS CONGRESOS SIGAN TRADUCIENDO SU MIEDO EN OBSTÁCULOS PARA EL EJERCICIO DE ESTAS FORMAS DE PARTICIPACIÓN CIUDADANA (VÉASE *CANDIDATURA INDEPENDIENTE*).

COMPRA DE VOTOS

PUES ASÍ, TAL CUAL, ES CUANDO TE DAN LANA U OTRO "APOYO" (COMO DESPENSAS, RECARGAS DE CELULAR, TARJETAS DE PREPAGO, PROGRAMAS SOCIALES Y HASTA PROMESAS DE TRABAJO) PARA QUE VOTES POR TAL O CUAL CANDIDATO. Y AQUÍ, TANTO PECA EL QUE MATA A LA VACA COMO EL QUE LE AGARRA LA PATA, LA NETA (VÉANSE *ACARREAR* Y *DESPENSA*).

CONFLICTO DE INTERÉS

LOS HAY DE TRES SABORES: LOS REALES, LOS POTENCIALES Y LOS IMAGINARIOS...AL MENOS PARA VIRGILIO. CONTRARIO A LO QUE SUELE PENSARSE, EL CONFLICTO DE INTERÉS NO SE LIMITA AL ÁMBITO POLÍTICO; TAMBIÉN SUCEDE CUANDO SOMOS JUEZ Y PARTE EN UNA SITUACIÓN EN LA QUE PODEMOS BENEFICIARNOS DE MANERA POCO ÉTICA, INDEPENDIENTEMENTE DE SI HAY RECURSOS PÚBLICOS DE POR MEDIO (VÉASE *CASA BLANCA*).

CONSTI-TUCIÓN

UNA CARTA –CARTOTA, MEJOR DICHO– DE BUENAS INTENCIONES A LA QUE LE TENEMOS TANTO RESPETO QUE SÓLO LA UTILIZAMOS CUANDO LO CREEMOS INDISPENSABLE. NO VAYA A SER QUE SE DESGASTE. YA ES MAYOR.

CONTRATISTA

BISNERO ESPECIALIZADO EN HACER COMO QUE HACE CONSTRUCCIONES PARA EL GOBIERNO. DESDE SIMULAR QUE BACHEAN UNA AVENIDA HASTA APARENTAR QUE CONSTRUYEN UN PUENTE, LOS CONTRATISTAS JAMÁS DEJAN PASAR LA OPORTUNIDAD DE HACER –ESO SÍ– UN NEGOCIAZO.

COYOTE

CLARO QUE HAY CIUDADANOS QUE CONOCEN PERFECTAMENTE LA LEY, LOS REQUISITOS DE UN PROCEDIMIENTO, EL NÚMERO DE ORIGINALES Y COPIAS QUE HAY QUE PRESENTAR EN QUÉ VENTANILLA, EL HORARIO Y HASTA POR QUIÉN PREGUNTAR #BUTOFCOURSE. EL ÚNICO INCONVENIENTE ES QUE ESOS SEUDOGESTORES NO TRABAJAN EN LA INSTITUCIÓN DONDE QUIERES HACER EL TRÁMITE. PERO ESTÁN AFUERA, OFRECIENDO SUS SERVICIOS; NO TE PREOCUPES.

CRECIMIENTO ECONÓMICO

PRINCIPAL VÍCTIMA
DE LA CORRUPCIÓN EN MÉXICO
(VÉANSE *SEGURIDAD Y DESEMPLEO*).

CRIMEN ORGANIZADO

DÍCESE DE LAS EMPRESAS MÁS RENTABLES DE MÉXICO, DEDICADAS A GIROS TAN VARIADOS COMO LA PRODUCCIÓN, LA COMERCIALIZACIÓN Y EL TRASIEGO DE DROGAS; EL TRÁFICO DE BLANCAS; LA EXPEDICIÓN Y VENTA DE FACTURAS FALSAS; LA PRODUCCIÓN Y VENTA DE DISCOS PIRATAS; EL DESVÍO DE RECURSOS PÚBLICOS DESTINADOS A PROGRAMAS SOCIALES Y LA COLUSIÓN DE EMPRESAS (ES UN DECIR) PARA GANAR LICITACIONES. ASÍ QUE, SI ERES UN POLÍTICO O UN BISNERO, AHORA SABES QUE TUS ACTIVIDADES DELICTIVAS ENTRAN EN LA MISMA CATEGORÍA QUE LAS DE LOS NARCOTRAFICANTES Y LOS PROXENETAS MÁS INHUMANOS.

CUATITUD

EJERCICIO DEL PODER DE LOS CUATES, POR LOS CUATES Y PARA LOS CUATES. POR EJEMPLO: "QUE ME INVESTIGUE MI CUATE PARA VER SI FAVORECÍ A MI CUATE", O "LE DIGO A MI CUATE QUE LE DÉ A NUESTRO CUATE LA CONCESIÓN DEL TELEPEAJE". CON ESOS CUATES, ¡¿PARA QUÉ QUIERES AMIGOS?!

Tenemos partidos de todos los sabores: corruptos, muy corruptos, extra-corruptos y la corrupción misma. Y es su deber ciudadano escoger uno.

DEMOCRACIA

¿DÓNDE? VE Y DILE A JAIME MAUSSAN QUE VISTE UNA.

DESEMPLEO

TERCERA VÍCTIMA DE LA CORRUPCIÓN EN MÉXICO (VÉANSE *CRECIMIENTO ECONÓMICO* Y *SEGURIDAD*).

DESHONESTIDAD

SÍ, YA SÉ QUE ESTÁ MAL. ¿CÓMO? PERO ¡CLARO QUE SOY UNA PERSONA CON VALORES! SI NO HAGO ESTO POR MÍ, SINO POR LOS MÍOS. LA FAMILIA SIEMPRE ES PRIMERO.

≠

DESIGUALDAD

UNA MONTAÑA RUSA VERTIGINOSA CUYA TRAYECTORIA DIBUJA UNA GRÁFICA EN LA QUE EL MÁS RICACHÓN DEL PAÍS OBSERVA DESDE UN MIRADOR LEJANÍSIMO, COMO HORMIGAS, AL CONJUNTO DE LOS MÁS POBRES ENTRE LOS POBRES. Y, EN MEDIO, CASI NADA.

DESPENSA

MONEDA DE CAMBIO DE GRAN VALOR DURANTE LOS PERIODOS ELECTORALES. SE DICE QUE LOS CANDIDATOS LA REPARTEN EN COLONIAS POPULARES COMO MUESTRA DE CARIÑO A SUS NOBLES Y FIELES SEGUIDORES. EN AÑOS RECIENTES, LA DESPENSA TAMBIÉN VIENE EN FORMA DE CELULARES, TARJETAS CON CRÉDITO PARA TIENDAS DE AUTOSERVICIO, ELECTRODOMÉSTICOS Y HASTA TRACTORES. CUÁNTO AGRADECIMIENTO.

DISCRIMI-NACIÓN

UNO DE LOS ROSTROS DE ESA TERRIBLE MONTAÑA RUSA LLAMADA DESIGUALDAD. CUALQUIER RASGO, POR INFANTIL Y ABSURDO QUE SUENE, PUEDE SER EMPLEADO PARA CERRAR LA PUERTA EN LA NARIZ DE QUIEN CONSIDERES (IN)CONVENIENTE.

DOBLE MORAL

VARIANTE DE LA INCONGRUENCIA SEGÚN LA CUAL, MIENTRAS A UNO NADIE LO VEA, PUEDE DEJAR ESA PESADA Y JUICIOSA CORONA QUE CARGA EN PÚBLICO PARA DARSE VUELO HACIENDO LO QUE TANTO CRITICA EN LOS DEMÁS. QUIZÁ SUS EXPONENTES MÁS CÉLEBRES SON LOS ALTOS JERARCAS DE LA IGLESIA (VÉASE *IGLESIA*).

"EL QUE NO TRANSA NO AVANZA"

MITO GENIAL (O NO TANTO) QUE CONTIENE LA IDEA DE QUE EN MÉXICO ROBAR, SAQUEAR Y TRANSAR SON LA ÚNICA MANERA DE SALIR ADELANTE.
¿TÚ COMPRASTE TU CARRO, ESTÁS PAGANDO TU CASA Y ENVIANDO A TUS HIJOS A LA ESCUELA CON EL DINERO DE TODO LO QUE HAS ROBADO A LO LARGO DE TU SAQUEADORA VIDA? NOSOTROS TAMPOCO.

ENCUBRIMIENTO

PIENSAS QUE, PUESTO QUE POR TUS MANOS NO PASÓ ESE DOCUMENTO FALSO CON EL QUE SABES QUE TUS AMIGOS COMETERÁN UN FRAUDE DEL TAMAÑO DE LA AHORA LLAMADA CDMX, NO TIENES POR QUÉ SENTIRTE MAL NI MUCHO MENOS PREOCUPARTE POR QUE ALGUIEN TE ASOCIE CON ESAS AMISTADES. CLARO, ESO PIENSAS (VÉASE *COMPLICIDAD*).

ENGAÑO

PRIMO HERMANO DE LA MENTIRA QUE INTUYE –PORQUE SUENA DISTINTO– QUE NO COMPARTE NADA CON SU PRIMA Y VIENE DE UNA FAMILIA MÁS SOFISTICADA.

ESPACIO PÚBLICO

LUGAR PARA QUE LOS AUTOMOVILISTAS ESTACIONEN SU COCHE, LOS AMBULANTES ACOMODEN SU MERCANCÍA, LOS CARTERISTAS ENCUENTREN SU MEDIA NARANJA Y LOS POLÍTICOS HAGAN MÍTINES CON TORTAS Y REFRESCOS.
DA CORAJE PORQUE LAS CALLES, LAS BANQUETAS, LOS PARQUES, LAS PLAYAS, LAS PLAZAS Y UNA LARGA LISTA DE SITIOS DONDE TODOS LOS CIUDADANOS TENEMOS DERECHO A CIRCULAR EN PAZ Y ARMONÍA –LOS ESPACIOS PÚBLICOS, PUES– NOS PERTENECEN A TODOS.

La corrupción de Todos

ESTADOS UNIDOS

PRINCIPAL COMPRADOR DE DROGAS, ESTUPEFACIENTES Y CUANTA MAMADA ALUCINÓGENA PUEDAS IMAGINAR PROVENIENTES DE MÉXICO. A CAMBIO NOS VENDEN ARMAS Y NOS ASESORAN PARA LIBRAR UNA GUERRA SIN FIN QUE NOS HA COSTADO 200 000 MUERTOS Y CONTANDO. IRÓNICAMENTE, TAMBIÉN ES LA CASA DE MÁS DE 30 MILLONES DE MEXICANOS QUE DEJARON TODO PARA IRSE A TRABAJAR AL OTRO LADO; NUESTRO SOCIO COMERCIAL EN TRANSACCIONES EQUIVALENTES A 1 000 MILLONES DE DÓLARES DIARIOS, Y LA FUENTE DE MÁS DE 20 000 MILLONES DE DÓLARES EN REMESAS QUE NOS LLEGAN ANUALMENTE. "TAN LEJOS DE DIOS, TAN CERCA DE ESTADOS UNIDOS"...

EXTORSIÓN

ASÍ LE LLAMAN A LA "GRASITA" QUE USAN CIERTOS POLÍTICOS Y NO POCOS CIUDADANOS PARA LLEGAR A ACUERDOS. CON RAZÓN TENEMOS TANTOS PROBLEMAS DE OBESIDAD EN EL PAÍS.

FALTA DE CRÍTICA

¿RECUERDAS EL PADECIMIENTO QUE MENCIONAMOS ANTES, LA INDIFERENCIA? BUENO, PUES UNO DE SUS EFECTOS SECUNDARIOS ES LA ATROFIA DEL MÚSCULO CON QUE CUESTIONAMOS LA INFORMACIÓN QUE NOS PRESENTAN, EL CUAL QUEDA INMÓVIL SIN IMPORTAR QUÉ TAN DISPARATADO SEA LO QUE SE NOS ANUNCIE. EN EL CASO DE LOS POLÍTICOS, EL PROBLEMA ES LA FALTA DE AUTOCRÍTICA; PERO, BUENO, PEDIRLES QUE SE VEAN EN EL ESPEJO ES PEDIRLE PERAS AL OLMO. PERO OJO: *NOSOTROS* NO ESTAMOS EXENTOS DE ESE MAL.

FRAUDE

ENGAÑO ECONÓMICO QUE ENGATUSA AL AFECTADO HACIÉNDOLE CREER QUE ESTÁ INVIRTIENDO EN UN BIEN DETERMINADO CON LA INTENCIÓN DE CONSEGUIR UN BENEFICIO Y CON EL CUAL UN TERCERO RESULTA PERJUDICADO. LOS HAY PRIVADOS, COMO EL CLÁSICO JUEGO CALLEJERO DE ADIVINAR DÓNDE QUEDÓ LA BOLITA, Y TAMBIÉN LOS HAY ELECTORALES, DE DIMENSIONES MUCHO MAYORES, DONDE LA PREGUNTA ES: "¿DÓNDE QUEDÓ LA BOLETA?"

GOBIERNO

ESPACIO INMATERIAL DONDE LOS RECURSOS DE TODOS SON CONDENSADOS PARA QUE UN GRUPO DE SUPUESTOS DIRIGENTES LUCRE CON ELLOS Y CONSTRUYA FORTUNAS FAMILIARES.

GRILLA

NO, NO ES LA NOVIA DEL GRILLO. TAMPOCO ES EL RUIDO INSOPORTABLE QUE HACEN LAS CHICHARRAS. ES LA MANERA DESPECTIVA DE REFERIRSE A LA POLÍTICA MEXICANA. LÁSTIMA, PORQUE, CONTRARIO A LO QUE CREEMOS (Y NOS HACEN CREER DESDE LA INFANCIA), LA POLÍTICA ES LA HERRAMIENTA MÁS IMPORTANTE QUE LOS CIUDADANOS TENEMOS PARA HACER VALER NUESTROS DERECHOS ANTE LAS AUTORIDADES, RESOLVER CONFLICTOS POR CANALES INSTITUCIONALES Y VIVIR PACÍFICAMENTE EN COMUNIDAD.

IMPUNIDAD

TIERRA DONDE FLORECE LA PLANTA CARNÍVORA DE LA CORRUPCIÓN, LA DE "ELLOS" Y LA DE "NOSOTROS". SI PUEDO SALTARME LAS REGLAS UNA VEZ SIN QUE HAYA CASTIGO ALGUNO, BIEN PUEDO HACER DE ELLO UN MODO DE VIDA, AL GRITO DE #MELAPELAS.

INCONGRUENCIA

DECIR "ME DESDIGO CATEGÓRICAMENTE" SUENA BIEN, CASI ELEGANTE. EL PROBLEMA ES QUE UNO NO PUEDE DESDECIRSE ASÍ DE FÁCIL DE COSAS ELEMENTALES A LAS QUE HASTA HACE UN MOMENTO LES PROFESABA UNA FIDELIDAD TREMENDA NOMÁS PORQUE ESAS IDEAS QUE VENDÍA CON VEHEMENCIA YA NO SON TAN POPULARES Y CONVENIENTES (PARA EL BOLSILLO).

INFORMACIÓN PRIVILEGIADA

CUANDO TE PASARON UN ACORDEÓN CON LAS RESPUESTAS Y SACASTE 10 SIN SABER DE QUÉ SE TRATÓ EL EXAMEN.

INGOBERNABILIDAD

IMAGINA QUE ENTRAS A UN BAR DONDE EL INTERCAMBIO DE GOLPES Y BOTELLAZOS, LA MÚSICA A VOLÚMENES INSOPORTABLES, EL GENTÍO Y EL MAL GENIO DE LOS CANTINEROS NO TE PERMITEN SIQUIERA PEDIR UN TRAGO. MULTIPLICA ESE AMBIENTE POR TODAS LAS ENTIDADES FEDERATIVAS DEL PAÍS, PARTICULARMENTE MICHOACÁN (O VERACRUZ...O TAMAULIPAS...O GUERRERO...O...).

INSPECTOR

BURÓCRATA CON ESTEROIDES (VÉASE *BURÓCRATA*) ESPECIALIZADO EN EXTRAER RENTAS (EXTORSIONAR A LA BANDA, PUES) A CAMBIO DE HACERSE DE LA VISTA GORDA (VÉASE *HACERSE DE LA VISTA GORDA*) CUANDO VIOLAMOS ALGÚN REGLAMENTO, O EN INVENTAR QUE LO ESTAMOS VIOLANDO.

JEFE DE PLAZA

PERSONAJE DISPUESTO A DECAPITAR, DESTAZAR, LEVANTAR, COBRAR PISO Y EJECUTAR A LO LARGO Y ANCHO DEL TERRUÑITO QUE CONTROLA POR OBRA Y GRACIA DEL PLOMO DE SUS PISTOLAS. ¿TE ACUERDAS DEL COCHILOCO EN LA PELÍCULA *EL INFIERNO*? PUES ASÍ, PERO QUITÁNDOLE LO CHISTOSO.

JUSTICIA

CONSTRUCCIÓN SOCIAL INEXISTENTE EN MÉXICO. PUNTO.

JUSTICIA SELECTIVA

FENÓMENO QUE OCURRE CUANDO LOS CASTIGOS SON SEVEROS Y AUN DESPROPORCIONADOS PARA ALGUNOS, PERO ELUDIBLES –CON DINERO– PARA OTROS. AQUÍ SÍ SE APLICA EL "HÁGASE LA VOLUNTAD DE DIOS, PERO EN LAS MULAS DE MI COMPADRE" O, YA DE PLANO, ¡QUÉ POCA MADRE!

"LA CORRUPCIÓN SOMOS TODOS"

EL MEJOR PRETEXTO PARA SEGUIR HACIÉNDONOS PENDEJOS Y CONFORMARNOS CON EL *STATU QUO*, AUNQUE LA FRASE PROVOQUE LOS APLAUSOS DE NUESTRA CLASE POLÍTICA. AL FIN Y AL CABO, ES UN PROBLEMA CULTURAL. ¿O NO?

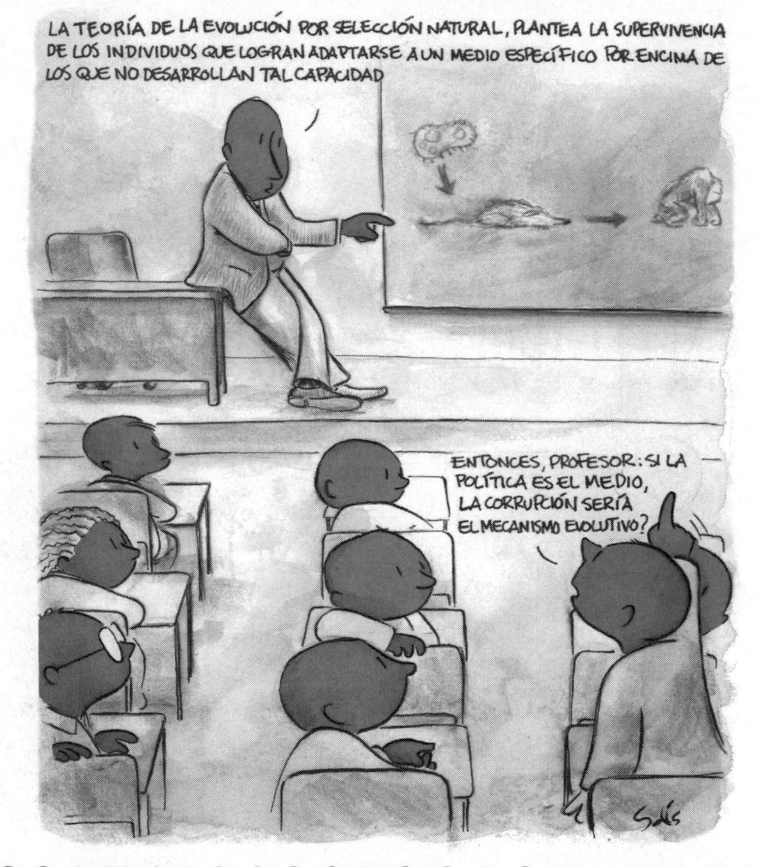

LAGUNA LEGAL

SI EN LA LAGUNA DE CATEMACO HABITAN CHANGOS, BRUJOS Y HECHICEROS, LA LAGUNA LEGAL ESTÁ REPLETA DE ASTUTOS, ABOGÁNSTERS Y BISNEROS, POR NOMBRAR ALGUNOS ESPECÍMENES DE LA EXÓTICA FAUNA QUE ES POSIBLE ENCONTRAR EN LA RESERVA DE CORRUPCIÓN, SIMULACIÓN E IMPUNIDAD MÁS GRANDE DE NUESTRO QUERIDO MÉXICO.

LEVANTAR

NO, DESAFORTUNADAMENTE NO SE REFIERE AL MILAGROSO MOMENTO EN QUE JESÚS LE DIJO A LÁZARO QUE SE LEVANTARA Y ANDUVIERA. AL CONTRARIO, ALUDE AL ACTO DE SECUESTRAR A UNA PERSONA PARA DESAPARECERLA O PEDIR UN RESCATE A CAMBIO DE REGRESARLA MÁS O MENOS A SALVO (EN EL MEJOR DE LOS CASOS). EN ALGUNOS RINCONES DE MÉXICO ES EL PAN DE CADA DÍA; EN OTROS, UN SECRETO A VOCES, POR DECIR LO MENOS, MACABRO.

LEY

DOCUMENTO REDACTADO A MANERA DE FÁBULA POR UN GRUPO DE INDIVIDUOS LO SUFICIENTEMENTE ABUSADOS PARA NO HACER CASO DE ÉL. ESTE MANUSCRITO PERMANECE AUSENTE DE LA VIDA PÚBLICA Y PRIVADA A MENOS QUE EL INTERÉS COMPLETAMENTE IMPARCIAL Y OBJETIVO EN DESINFLAR UN PERFIL HAGA USO DE ÉL.

LIBERTAD

INTERJECCIÓN FAVORITA DE LOS DISCURSOS DE POLÍTICOS POCO COMPROMETIDOS. CUANDO LOS ARGUMENTOS Y DEMÁS LÍNEAS DISCURSIVAS SENTIMENTALES Y EFECTISTAS FALLAN, NO DUDES EN RECURRIR A ESTE NOBLE Y RENDIDOR VOCABLO.

Creo que la gente, de alguna manera, no ha acabado de comprender un concepto básico de nuestra democracia: que el derecho a la información y la libertad de expresión del ciudadano termina en donde empieza nuestro derecho a enriquecernos en el cargo público.
Ese apotegma pide bronce, Licenciado.
Patricio.

LIBERTAD DE EXPRESIÓN

DERECHO INALIENABLE Y ABSOLUTAMENTE UNIVERSAL DE CUALQUIER MEXICANO –PERIODISTA O NO– A EXTERIORIZAR SU PUNTO DE VISTA SIN QUE EL MÁS REBELDE DE SUS CABELLOS CORRA PELIGRO. ¿VERDAD QUE SUENA BIEN? LO PIDIERON EN UNA CARTA 100 PERIODISTAS QUE YA NO ENCONTRAMOS. OJALÁ LLEGUE AL PAÍS ANTES DE NAVIDAD.

MADRUGAR

LA LEY DE LA SELVA AÚN CONSERVA ALGUNAS RAÍCES EN NUESTRA POSMODERNIDAD. ANTES DE QUE ALGUIEN VENGA A JODERTE, TOMA LA INICIATIVA. CHÍNGATELO TÚ PRIMERO. #DEQUELLORENENSUCASA.

MARIHUANA

MODESTA HIERBITA VERDE DE AROMA AZORRILLADO QUE SIRVE PARA RELAJAR LOS MÚSCULOS, ECHAR A ANDAR LA CREATIVIDAD, REÍRSE UN BUEN RATO, ENTRAR EN ONDITA PACÍFICAMENTE Y HASTA DAR TRATAMIENTOS MEDICINALES. LO MALO ES QUE TAMBIÉN ES LA MAYOR FUENTE DE INGRESOS DEL NARCOTRÁFICO EN MÉXICO; LA HERRAMIENTA DE PRESIÓN DE UN VECINO DEL NORTE QUE CÓMODAMENTE NOS INCITA A PONER LOS MUERTOS EN UNA GUERRA QUE ELLOS IMPULSAN DESDE HACE CINCO DÉCADAS, Y LA OBSESIÓN DE DOCENAS DE POLÍTICOS QUE INSISTEN EN TRATARNOS COMO NIÑOS CHIQUITOS. ¡QUÉ IMPORTA QUE EL ALCOHOL, EL TABACO Y HASTA LAS CARNITAS SEAN MÁS DAÑINOS PARA NUESTRA SALUD! TODO SEA EN ARAS DE MANTENER "LA MORAL PÚBLICA", *GUAREVERDATMINS*.

MEMORIA SELECTIVA

OTRA DE LAS GRANDES EPIDEMIAS DE MÉXICO. EL PACIENTE SE INFECTA AL SER INTERROGADO SOBRE UN HECHO ILÍCITO. EL SÍNTOMA PRINCIPAL ES EL DOLOR DE CABEZA QUE LE IMPIDE RECORDAR, SEGUIDO DE IMPULSOS ELÉCTRICOS INESPERADOS QUE DESEMBOCAN, EN EL MEJOR DE LOS CASOS, EN DESCRIPCIONES CANTINFLESCAS DE LOS HECHOS Y, EN EL PEOR, EN LA PÉRDIDA TOTAL DEL CONOCIMIENTO. SE RECOMIENDA UN TRATAMIENTO INTENSIVO PARA DEJAR DE HACERSE PENDEJO (VÉANSE *HACERSE DE LA VISTA GORDA* E *INDIFERENCIA*).

"MÉXICO MÁGICO"

SENTENCIA QUE REPITE AL UNÍSONO UN CORO COMPUESTO POR UN CIUDADANO Y UN POLICÍA CORRUPTOS, EL SUPERVISOR DEL POLICÍA Y HASTA EL PERSONAJE DEL BILLETE QUE CIRCULÓ EN LA TRANSACCIÓN. POR DESGRACIA, EN ALGÚN MOMENTO MÉXICO SÍ FUE MÁGICO, Y NO POR SUS CORRUPTELAS Y SU CAPACIDAD DE HACERSE DE LA VISTA GORDA ANTE LA LEY. ¿REGRESARÁ ALGÚN DÍA?

MIRREY

SUSTANTIVO MASCULINO UTILIZADO PARA DESIGNAR A LOS IMITADORES DE MAURICIO GARCÉS, LUIS MIGUEL, ROBERTO PALAZUELOS Y JAVI NOBLE. ELLOS NO CULPAN A LA NOCHE, NO CULPAN A LA PLAYA; DE HECHO, NO CULPAN A NADIE, PORQUE HACEN LO QUE SE LES DA LA GANA. NI MODO, ASÍ NACIERON: DIVINOS (VÉASE *LORD*).

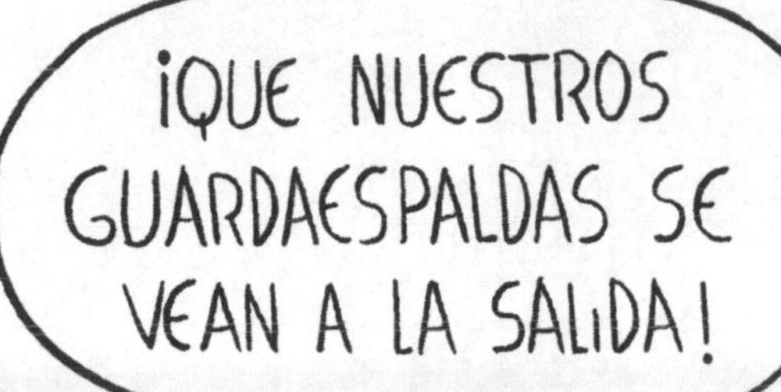

MIRREYNATO

EN PALABRAS DEL AUTOR DEL LIBRO QUE LLEVA POR TÍTULO ESE INFAME VOCABLO, "EL MIRREYNATO ES UN RÉGIMEN MORAL DONDE PREDOMINAN LA IMPUNIDAD, LA OSTENTACIÓN, LA PREPOTENCIA, LA DISCRIMINACIÓN, LA CORRUPCIÓN, EL DESPRECIO POR LA CULTURA DEL ESFUERZO Y EL PRIVILEGIO QUE OTORGAN LAS REDES FAMILIARES Y UN PÉSIMO FUNCIONAMIENTO DEL ASCENSOR SOCIAL". NO CABE DUDA, EL MIRREYNATO ES OBRA DE TODOS (VÉASE *MIRREY*).

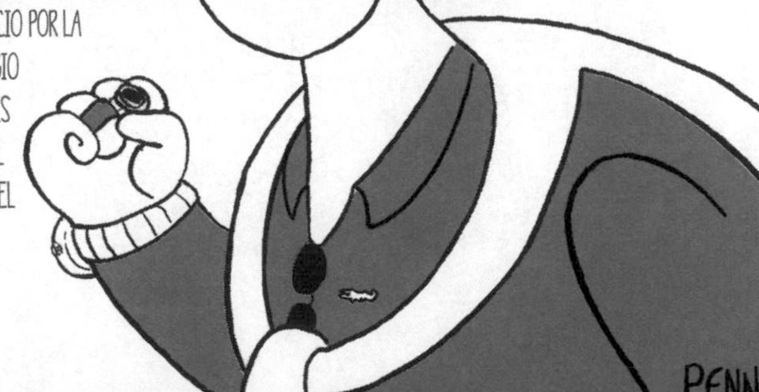

MONOPOLIO

¿RECUERDAS CUANDO IBAS EN SEGUNDO DE PRIMARIA Y LOS DE SEXTO ACAPARABAN LAS CANCHAS, LAS CHAVAS Y LAS TIENDITAS DEL RECREO? ALGO ASÍ, PERO EN LA VIDA REAL Y CON UN PAÍS DE POR MEDIO.

NEPOTISMO

CURIOSA CAPACIDAD DE CIERTOS RECLUTADORES PARA ENCONTRAR LOS MEJORES PERFILES DE CONTRATACIÓN EN PRIMOS, SOBRINOS O CUÑADOS (VÉASE *AVIADOR* EN ESTE MISMO COMPENDIO, PARA COMPRENDER QUÉ ACTIVIDADES DESEMPEÑAN ESTOS DIAMANTES EN BRUTO QUE NINGUNA COMPAÑÍA HABÍA ENCONTRADO; VÉASE TAMBIÉN *COMPADRAZGO*).

NOTARÍA PÚBLICA

SI BIEN ES UNA PROFESIÓN HONORABLE Y DE GRAN TRADICIÓN, EN AÑOS RECIENTES, POR MAL USO DE UNOS CUANTOS, SE HA CONVERTIDO EN UN PREMIO AL TRABAJO Y AL ESFUERZO DE LOS MEJORES AMIGOS DEL GÓBER EN TURNO, QUIEN SUELE OTORGARLAS A POCOS MESES DE DEJAR EL CARGO CON EL OBJETIVO DE DAR FE Y LEGALIDAD A LOS BISNES QUE HIZO DURANTE EL SEXENIO (VÉASE *GÓBER*).

OPERACIÓN TAMAL

CUANDO TE LLEVAN A LA "CASA AMIGA" PARA COMER TAMALES Y TOMAR ATOLE ANTES DE VOTAR, A FIN DE QUE TE VAYAS BIEN COMIDITO. ¿O CREÍAS QUE LOS PARTIDOS TE IBAN A DEJAR CON EL ESTÓMAGO VACÍO? ¡AY, MIJITO!

PACTO SOCIAL

ESO QUE EN LA REVOLUCIÓN MEXICANA NO CUAJÓ Y NO HA CUAJADO EN DÉCADAS.

PARAÍSOS FISCALES

COLCHONES ULTRASOFISTICADOS DONDE EL 1% MÁS RICO DE MÉXICO Y EL MUNDO –INCLUYENDO CIENTOS DE POLÍTICOS Y MILES DE CUATES DE ESOS POLÍTICOS– GUARDA SUS AHORRITOS PARA PAGAR MENOS IMPUESTOS, BLANQUEAR DINERO EMPERCUDIDO, ADQUIRIR DEPAS EN NUEVA YORK Y MIAMI. CIERTO, TAMBIÉN HAY QUIENES LOS USAN CON FINES LEGÍTIMOS Y LEGALES. SIN EMBARGO, LO INDIGNANTE NO SON LOS PARAÍSOS FISCALES, SINO QUE LOS USEN CON FINES ILÍCITOS #PANAMAPAPERS.

PAZ

¿RECUERDAS ESOS TIEMPOS ANTERIORES A LA GUERRA CONTRA/CON/DE/DESDE/PARA/POR/SIN/SOBRE EL CRIMEN ORGANIZADO? NOSOTROS TAMPOCO.

PERISCOPEAR

EXHIBIR PÚBLICAMENTE A LOS GANDALLAS A TRAVÉS DE LAS REDES SOCIALES. SIN EMBARGO, CUANDO ESTE ACTO ES REALIZADO POR FUNCIONARIOS, CONSTITUYE UN ABUSO DE PODER.

veni
vidi
vici

PRENSA

MEDIO EN EL QUE SE DESENVUELVEN LOS PERIODISTAS. DENTRO DE ÉL NO ES DIFÍCIL IDENTIFICAR A LOS QUE EJERCEN PERIODISMO CRÍTICO Y DE ALTO RIESGO Y LOS QUE PERTENECEN AL ÁREA DE COMUNICACIÓN SOCIAL DEL GOBIERNO (VÉASE *CHAYOTE*).

PRE POTENCIA

ACTO MEDIANTE EL CUAL ALGUNOS INDIVIDUOS USAN EL POCO O MUCHO PODER QUE TIENEN PARA HACERSE VALER MÁS QUE LOS DEMÁS. ES LA PRIMERA MUESTRA DE QUE A MUCHOS MEXICANOS LES BASTA SUBIRSE A UN TABIQUE PARA MAREARSE.

PRESTANOMBRES

COMO CUANDO FIRMABAS EL EXAMEN O EL TRABAJO DE UN AMIGO A CAMBIO DE UNA MORDIDILLA. HOY EN DÍA, LOS PRESTANOMBRES SON PARTE DEL IMAGINARIO COLECTIVO MEXICANO, QUE VE CON RECELO LA FORTUNA DE LOS EMPRESARIOS QUE DE LA NOCHE A LA MAÑANA SE HACEN PUTRIMILLONARIOS CON FAVORES DE FUNCIONARIOS DEL GOBIERNO. ¡CUÁNTA DESCONFIANZA, CHAVO!

PRESUNCIÓN DE INOCENCIA

LO QUE LE EXIGISTE A LA MAESTRA CLOTILDE CUANDO TE ACUSÓ DE HABERTE MADREADO AL CHIQUILÍN EN EL PATIO DE LA ESCUELA.

PRIVILEGIO

EXTENSIÓN DE LA NOBLEZA DE UN APELLIDO O UN CARGO HACIA TODAS LAS ACTIVIDADES QUE EL PORTADOR REALICE, SIN IMPORTAR CUÁNTAS REGLAS HAYA EN EL MEDIO (VÉASE *MIRREYNATO*).

PROLE

TURBA FANÁTICA DE LAS TELENOVELAS Y EL FUTBOL QUE "SÓLO CRITICA A QUIEN ENVIDIA" -NORMALMENTE, LA FAMILIA PRESIDENCIAL-.

RATÓN LOCO

CUANDO SE REUBICAN LAS CASILLAS PARA QUE LOS CIUDADANOS NO APAREZCAN EN LA LISTA NOMINAL Y NO PUEDAN EJERCER SU DERECHO AL VOTO. ¿O QUÉ, CREÍAS QUE NOS REFERÍAMOS A LA MONTAÑA RUSA?

"ROBA, PERO HACE"

AH, MENOS MAL.

“ROBA, PERO SALPICA”

ASÍ DECIMOS CUANDO ALGUIEN USA DE MANERA INCORRECTA LOS FONDOS DEL ERARIO, PERO QUEREMOS JUSTIFICARLO PORQUE IGUAL Y NOS MOJÓ UN CHISGUETE. LA NETA ES MÁS BIEN CINISMO: INCHE BANDA CONVENENCIERA (VÉASE TAMBIÉN *MALVERSACIÓN DE FONDOS PÚBLICOS*).

AV.GARCI

RUPTURA SOCIAL

CRUJIDO ESTRUENDOSO DEL "ORDEN" ESTABLECIDO, GENERALMENTE OCASIONADO POR UNA MOVILIZACIÓN COLECTIVA DE GRANDES DIMENSIONES. LA REVOLUCIÓN MEXICANA COMENZÓ CON ESE CRUJIR, PERO EL PASO SIGUIENTE –ESTABLECER UN NUEVO ORDEN MÁS EQUILIBRADO– SIGUE SIENDO PROMESA DE CAMPAÑA.

SANTA FE

EXCLUSIVA ZONA DE NEGOCIOS, RESIDENCIAS, CENTROS COMERCIALES E INCUBADORA DE GODÍNEZ DE LA CIUDAD DE MÉXICO. ESTÁ CIMENTADA SOBRE LO QUE ALGUNA VEZ FUERON RELLENOS SANITARIOS. QUIZÁ POR ESO HAY UN COCHINERO CON LAS LICENCIAS DE CONSTRUCCIÓN, USOS DE SUELO Y EXPLOTACIÓN DE RESERVAS ECOLÓGICAS. ES UN ÁREA TAN PIPIRISNÁIS QUE, LITERALMENTE, SE LES PUEDE IR LA VIDA TRATANDO DE ACCEDER A ELLA...YA SEA EN AUTO PARTICULAR, MICRO O COMO SE LES OCURRA. DEL METRO, MEJOR NI HABLAMOS.

-¿Cuándo acabarán con las obras del segundo piso?
- A dos semanas de que sea necesario que empiecen con las del tercero.

SEGUNDOS PISOS

LA MARAVILLOSA IDEA DE UN AMOROSO EX JEFE DE GOBIERNO DE LA CIUDAD DE MÉXICO PARA RESOLVER LOS PROBLEMAS DE TRÁFICO DE LA CAPIRUCHA (POR FAVOR ALGUIEN EXPLÍQUELES QUE CONSTRUIR SEGUNDOS PISOS PARA ARREGLAR LOS PROBLEMAS DE TRÁFICO ES COMO CREER QUE AFLOJAR EL CINTURÓN TE HARÁ BAJAR DE PESO). POR CIERTO, QUIZÁ NUNCA SABREMOS CUÁNTO COSTARON LAS OBRAS, PUES DECIDIERON MANTENER LOS CONTRATOS EN LA OPACIDAD POR MÁS DE UNA DÉCADA. ¿QUÉ ESCONDERÁN?

SEGURIDAD

SEGUNDA VÍCTIMA DE LA CORRUPCIÓN EN MÉXICO (VÉANSE *CRECIMIENTO ECONÓMICO* Y *DESEMPLEO*).

SERVICIO PÚBLICO

TÉRMINO EN QUE EL CONCEPTO DE *SERVICIO* Y EL CONCEPTO DE *PÚBLICO* GENERAN DUDAS EN MUCHOS CASOS. OPERA DENTRO DE UNA EMPRESA DENOMINADA ESTADO EN LA QUE NUNCA PASA NADA, SIN IMPORTAR CUÁNTAS VECES CAIGA EN NÚMEROS ROJOS.

SIMULACIÓN

ESPECIE DE SIMULACRO REALIZADO POR GOBERNANTES Y CIUDADANOS QUE PERMITE IMAGINAR QUÉ PASARÍA SI RESPETÁRAMOS LAS REGLAS Y OBLIGACIONES DE TODOS. REMITE AL VIEJO "HACES COMO QUE ME PAGAS Y HAGO COMO QUE TRABAJO". NOS TOMAMOS TAN EN SERIO ESTE ENSAYO DE DRAMATURGIA QUE AÚN NO LO HEMOS CONCLUIDO.

SISTEMA DE SALUD PÚBLICA

RED DE HOSPITALES ESPECIALIZADOS EN REUNIR FUNCIONARIOS DE PÉSIMO HUMOR, TRÁMITES ENGORROSOS, INNECESARIOS Y MUY TARDADOS. AUNQUE LOS HAY MUY BUENOS, LA MAYORÍA FUERON DISEÑADOS PARA BRINDAR UNA ATENCIÓN LO SUFICIENTEMENTE CONFIABLE Y ÁGIL A FIN DE NO PREOCUPAR A LOS HOSPITALES COMPETIDORES EN EL SECTOR PRIVADO.

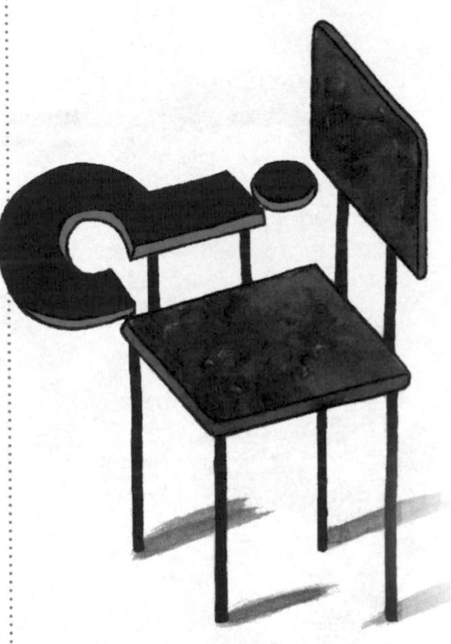

SISTEMA EDUCATIVO

SERVICIO PÚBLICO DISEÑADO PARA OFRECER UNA FUENTE DE EMPLEO FÁCIL Y CÓMODA A UN GRUPO DE AVIADORES QUE NO ESTÁN INTERESADOS EN LA VIRTUD MINISTERIAL, EN LOS EXÁMENES DE SUS ALUMNOS O EN LOS QUE DEBEN APLICÁRSELES ESPORÁDICAMENTE, NI EN LO QUE VAYA A SER EL PAÍS QUE HEREDARÁN A GENERACIONES VENIDERAS. COMO EN TODO, HAY ESCUELAS Y MAESTROS EXCEPCIONALES, PERO NO PODEMOS NEGAR QUE HABLAMOS DE UN SISTEMA QUE NO HA SACADO LO MEJOR DE NUESTROS ESTUDIANTES (SI NO NOS CREEN, VEAN LOS RESULTADOS DE LA PRUEBA PLANEA...SI ES QUE AÚN EXISTE).

SUPERVÍA

KILÓMETROS DE CONCRETO, ASFALTO Y CASETAS DE COBRO PRIVADAS QUE PERMITEN A LOS AUTOMOVILISTAS PASAR POR ENCIMA (LITERALMENTE) DE COMUNIDADES ENTERAS CON LA FINALIDAD DE SACAR DINERO DE CENTROS URBANOS, ENTIÉNDASE SANTA FE.

TRÁFICO DE INFLUENCIAS

PRÁCTICA QUE CONSISTE EN UTILIZAR LA INFLUENCIA PERSONAL EN ÁMBITOS DE GOBIERNO, EMPRESARIALES, LABORALES Y HASTA SOCIALES, A TRAVÉS DE OTRAS PERSONAS, CON EL FIN DE OBTENER FAVORES O TRATAMIENTO PREFERENCIAL. ¿RECUERDAS CUANDO TE SALTASTE A TODOS EN LA FILA DEL ANTRO PORQUE EL CADENERO (VÉASE *CADENERO*) ERA TU "CUATE"? ¿O CUANDO TRAMITASTE LAS PLACAS DE TU CARRO POR MEDIO DE TU SOBRINO QUE TRABAJA EN LA OFICINA DE TRÁNSITO? PUES ESO.

TRATA

ACTO DE TRAFICAR PERSONAS, GENERALMENTE MUJERES, SIN EL MÁS MÍNIMO RESPETO POR SU BIENESTAR Y DIGNIDAD. SE DICE QUE TLAXCALA ES LA CAPITAL NACIONAL DE ESTA CONDENABLE ACTIVIDAD QUE MUCHOS CONSIDERAN LA ESCLAVITUD DEL SIGLO XXI.

URBANISMO SALVAJE

A PRIMERA VISTA, PARECERÍA EL TÍTULO DE UNA TELENOVELA MEXICANA. SIN EMBARGO, SE REFIERE AL DESARROLLO IRRACIONAL, DESORDENADO, DESTRUCTIVO Y CORRUPTO DE LAS PRINCIPALES ZONAS URBANAS DE MÉXICO. SI MAÑANA SALES A LA CALLE Y NO ENCUENTRAS ÁREAS VERDES, NO PUEDES RESPIRAR O DESCUBRES QUE TU CIUDAD ESTÁ COMPLETAMENTE SEGREGADA, YA SABES A QUÉ ECHARLE LA CULPA.

VACUNA FISCAL

INNOVACIÓN MÉDICO-CONTABLE DE APLICACIÓN EFICAZ, BARATA Y SENCILLA. LOS CONTRIBUYENTES CUYA SITUACIÓN ES IRREGULAR –INCLUSO DELICTIVA– EN MATERIA DE PAGO DE IMPUESTOS ACUERDAN CON LA BUROCRACIA HACENDARIA QUE LES PRACTIQUEN AUDITORÍAS CUYOS RESULTADOS HAN SIDO PREVIAMENTE DEFINIDOS Y QUE, OBVIAMENTE, SON ILEGALES. LO MARAVILLOSO DE ESTA VACUNITA ES QUE LAS AUTORIDADES HACENDARIAS NO PUEDEN REALIZAR NUEVOS ACTOS DE FISCALIZACIÓN A LAS MISMAS PERSONAS O EMPRESAS NI SOBRE IMPUESTOS O EJERCICIOS YA REVISADOS. UNA MARAVILLA DE LAS CIENCIAS OCULTAS MODERNAS.

VERIFICENTRO

ESTABLECIMIENTO DONDE SE REALIZA TODO TIPO DE TRANSACCIONES POR DEBAJO DEL AGUA PARA MANTENER TU CARCACHITA ANDANDO POR LA CDMX (AUNQUE NOS ENVENENE A TODOS). RESULTA UN NEGOCIAZO TANTO PARA LOS ENCARGADOS DE LOS ESTABLECIMIENTOS COMO PARA AUTOMOVILISTAS, TRANSPORTISTAS Y MECÁNICOS DE LOS TALLERES ASOCIADOS. MIENTRAS LOS PRIMEROS RECIBEN SU TAJADA POR DEJARTE "BRINCAR", LOS OTROS SIGUEN CIRCULANDO POR LAS CALLES. NI HABLAR DE LOS MECÁNICOS, QUE SIGUEN GANANDO CLIENTELA PESE A LA NULA ÉTICA CON QUE LABORAN.

VIVIENDA SOCIAL

COMO LA VECINDAD DEL CHAVO DEL 8, PERO A TRES HORAS DE TU TRABAJO, A ESCASOS METROS DE UN RELLENO SANITARIO, SIN UN SOLO CENTRO COMERCIAL A LA REDONDA, SIN SERVICIO DE TRANSPORTE PÚBLICO Y CON CASAS DE 40 METROS CUADRADOS CON TRES HABITACIONES, COCINA INTEGRAL, SALA Y CUARTO DE SERVICIO. EN OTRAS PALABRAS, LA GARANTÍA DE VIVIENDA DIGNA PARA TODOS LOS MEXICANOS. NO CABE DUDA: LO "BARATO" SALE MUY CARO.

A PROPÓSITO DE TODO ESTO,

¿QUÉ QUIERE DECIR "CORRUPCIÓN"?

Ficha metodológica

El *Corrupcionario mexicano* tiene como objetivo explicar de una manera divertida, pero precisa, la manera en que los mexicanos entendemos y convivimos con la corrupción a diario. Con este fin, se realizaron 16 grupos de enfoque, una encuesta representativa nacional, una etnografía y un análisis de gabinete de encuestas, grupos de enfoque, ensayos, artículos y estudios existentes relacionados con la corrupción en México.

GRUPOS DE ENFOQUE

MUESTRA CIUDAD DE MÉXICO, AGOSTO DE 2015

Se conformaron tres grupos de enfoque con residentes de la Delegación Miguel Hidalgo en la Ciudad de México, con elementos comunes en cada grupo:

- Identificación partidista diversa (PAN, PRI, PRD, MORENA).
- Apartidistas.
- Clase media típica/media alta.

Segmentados por rangos de edad:

- 15-18 años
- 20-35 años
- 45-60 años

MUESTRA YUCATÁN (MÉRIDA Y HUNUCMÁ), AGOSTO DE 2015

Se conformaron seis grupos de enfoque con residentes de los municipios de Mérida y Hunucmá (tres en cada plaza), con tres elementos comunes en cada grupo:

- Identificación partidista diversa (PAN, PRI, PRD, MORENA).
- Apartidistas.
- Clase media típica/media alta.

Segmentados por rangos de edad:

- 15-18 años
- 20-35 años
- 45-60 años

MUESTRA
CIUDAD DE MÉXICO, NOVIEMBRE DE 2015

Se conformaron siete grupos de enfoque con residentes de la Ciudad de México, segmentados por características particulares, con elementos comunes en cada grupo:

GRUPO	TIPO	PERFIL
1	Tercera edad	65 y más, diversas condiciones de ocupación, NSE medio alto (BJ)
2	Empleados	25 a 35 años, sector público y privado, 50% hombres, 50% mujeres
3	Niños/Adolescentes	12 a 15 años, secundaria pública y privada, 50% hombres y 50% mujeres
4	Trabajador informal	25 a 50 años, 50% hombres y 50% mujeres, informalidad activa y pasiva
5	Microempresario	30 a 50 años, diversidad de negocios
6	Amas de Casa	30 a 45 años
7	Estudiantes	18 a 24 años, público y privado, NSE diverso, 50% hombres y 50% mujeres

ENCUESTA

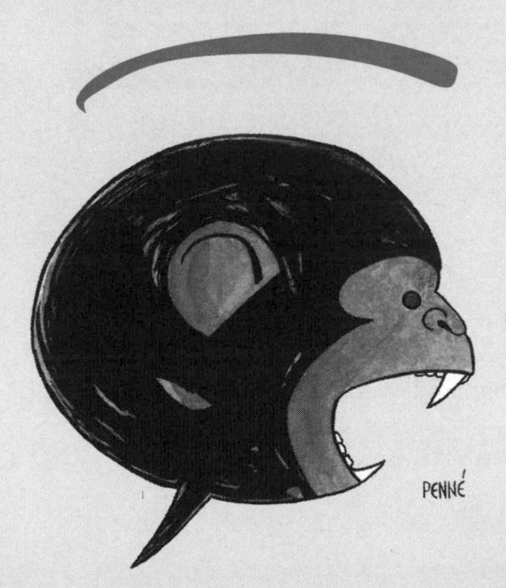

HERRAMIENTA DE INVESTIGACIÓN

Para conocer la percepción general de la población objetivo, se llevó a cabo una investigación cuantitativa mediante la técnica denominada encuesta telefónica. Es importante observar que el universo geográfico del estudio está constituido por los hogares que cuentan con línea telefónica fija en la vivienda; por tanto, en la presunción de que la penetración telefónica no es homogénea en todos los niveles socioeconómicos y socioculturales, es probable que dichos segmentos estén subrepresentados, particularmente las zonas rurales pertenecientes al ámbito geográfico que se mide.

NIVEL DE REPRESENTATIVIDAD DE LAS ESTIMACIONES

Las estimaciones que se elaboran tienen representatividad nacional exclusivamente en el universo de los poseedores de línea telefónica en las 32 entidades del país.

MARCO MUESTRAL

El marco de muestreo está constituido por los números telefónicos públicos incluidos en el directorio telefónico residencial de Telmex.

NIVEL DE CONFIANZA Y ERROR MUESTRAL

En el nivel de confiabilidad del 95%, la muestra permite la estimación de porcentajes de preferencias electorales y cualesquiera estimaciones de proporciones, con margen de error máximo asociado al tamaño de muestra de +/− 3.7% con 1 000 casos.

FECHAS DE APLICACIÓN

La encuesta fue aplicada del 12 al 21 de febrero de 2016.

PROCESAMIENTO DE LA INFORMACIÓN

En una primera etapa, la información colectada en el levantamiento de campo fue sometida a procesos de validación, captura y codificación. En una segunda etapa se realizaron los ajustes de ponderación necesarios a través de un sistema automático de cómputo estadístico que obtiene los estimadores puntuales y sus varianzas asociadas de manera exacta a fin de producir resultados de alta precisión.

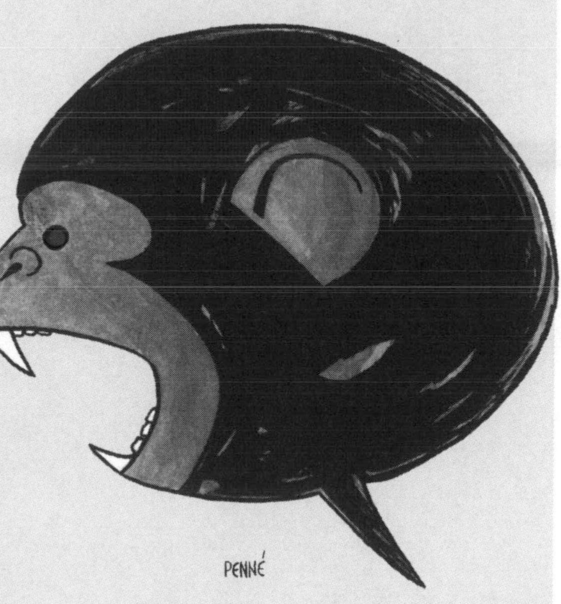

LUGAR Y FECHA DE OBSERVACIÓN

TIZIMÍN, YUCATÁN, DEL 1 DE SEPTIEMBRE AL 3 DE NOVIEMBRE DE 2015

Técnica de investigación

Investigación cualitativa que consistió en entrevistas estructuradas y no estructuradas, observación participativa, recopilación de información de gabinete e información socio-espacial y, posteriormente, en grupos de enfoque y *peer groups*. Esta información refleja las características económicas, sociales, políticas y culturales de la comunidad, y diagnostica cómo se vive, construye y estructura el concepto de la ciudadanía, y cómo influye en la participación y el comportamiento político en la comunidad de Tizimín, Yucatán.

ANÁLISIS DE GABINETE

REFERENCIAS

12 Encuesta global de fraude, Ernst & Young Global Limited, 2013.

Abuso del gasto en publicidad oficial, México, Article 19/Fundar, Centro de Análisis e Investigación, 2011.

Aguilar, H., "Sobre la corrupción", en *Milenio*, 7 de septiembre de 2014.

Alvarado, L., y M. Campos, *El gasto social en México*, vol. 1, *Las dimensiones del gasto social,* México, Avance, Análisis, Investigación y Estudios para el Desarrollo/ Fundación IDEA, 2008.

Balanza de pagos. Ingresos por remesas, México, Banco de México, 2016. [Disponible en línea en <www.banxico.org.mx/SieInternet/consultarDirectorioInternetAction.do?accion=consultarCuadro&idCuadro=CE81§or=1&locale=es>].

Barómetro Global de la Corrupción, 2013, Berlín, Transparencia Internacional, 2013.

Bohórquez, E., "El pacto que nació roto", en *Milenio*, 7 de septiembre de 2014.

Casar, Amparo M., *México: anatomía de la corrupción,* México, Centro de Investigación y Docencia Económicas/Instituto Mexicano para la Competitividad, 2015.

"Coneval informa los resultados de la medición de pobreza 2014", Consejo Nacional para la Evaluación de la Pobreza, 2015. [Disponible en línea en <www.coneval.gob.mx/SalaPrensa/Documents/Comunicado005_Medi-

cion_pobreza_2014.pdf>; consultado el 15 de abril de 2016.]

Córdova, L., y C. Murayama, *Transparencia y partidos políticos. Los casos de Pemexgate y Amigos de Fox, México,* Instituto de Investigaciones Jurídicas, Universidad Nacional Autónoma de México, 2007.

Cortés, F., *Gasto social y pobreza,* México, Programa Universitario de Estudios del Desarrollo, Universidad Nacional Autónoma de México, mayo de 2009.

Encuesta de fraude y corrupción en México 2010, México, KPMG Cárdenas Dosal, 2010.

Encuesta global sobre delitos económicos, s.l., PriceWaterHouse-Coopers, 2014.

Encuesta Nacional de Calidad e Impacto Gubernamental (ENCIG) 2013, México, Instituto Nacional de Estadística y Geografía, 2014.

Encuesta Nacional de Victimización de Empresas (ENVE), 2014, México, Subsistema Nacional de Información de Gobierno, Seguridad Pública e Impartición de Justicia, Instituto Nacional de Estadística y Geografía, diciembre de 2014.

Encuesta Nacional sobre Cultura Política y Prácticas Ciudadanas (ENCUP), *2012,* México, Dirección General de Cultura Democrática y Fomento Cívico, Secretaría de Gobernación, mayo de 2013.

Encuesta Nacional sobre el Derecho de Acceso a la Información Pública Gubernamental (ENDAI), *2013,* México, Instituto Federal de Acceso a la Información y Protección de Datos, 2013.

Encuesta sobre gobernabilidad y desarrollo empresarial 2005, México, Centro de Estudios Económicos del Sector Privado/Secretaría de la Función Pública, 2005.

Encuesta sobre mejora regulatoria, gobernabilidad y buen gobierno en los principales municipios de México, México, Centro de Estudios Económicos del Sector Privado, 2014.

Estudio de justicia y legalidad en México, México, Universidad del Valle de México/Laureate México, 2014.

Estudios sobre corrupción y actitudes ciudadanas 2006, México, Secretaría de la Función Pública/Gausscs y Redes, junio de 2006.

Global Integrity Report: 2011. Executive Summary, Washington, Global Integrity, marzo de 2012.

Guadarrama, M., *Índice de información presupuestal estatal* (IIPE), *2015,* México, Instituto Mexicano para la Competitividad, 2015.

Hardoon, D., y F. Heinrich, *Índice de fuentes de soborno 2011,* s.l., Transparency International, octubre de 2011.

Índice de derecho de acceso a la información en México (IDAIM), México, Fundar, Centro de Análisis e Investigación, 2015.

Índice de opacidad, s.l., PriceWater-HouseCoopers, enero de 2001.

Índice de percepción de la corrupción, 2015. Enfoque en México, México, Unidad de Comunicación Estratégica, Transparencia Mexicana, enero de 2016.

Índice Nacional de Corrupción y Buen Gobierno (INCGB), 2010, México, Transparencia Mexicana, 10 de mayo de 2011.

Informe global sobre fraude. Edición anual, 2013-2014, Nueva York, Kroll Advisory Solutions, Economist Intelligence Unit, 2014.

Informe Latinobarómetro 2013, Santiago, Corporación Latinobarómetro, 2013.

Jaime, E., E. Avendaño, y M. García, *Rendición de cuentas y combate a la corrupción: retos y desafíos,* México, Secretaría de la Función Pública, 2013.

Kaufmann, D., y A. Kraay, *Indicadores mundiales de gobernabilidad,* Desarrollo de Investigación, s.l., Banco Mundial, 2014.

La pobreza y el gasto social en México, México, Centro de Estudios de las Finanzas Públicas, Cámara de Diputados, noviembre de 2016.

Merino, M., "La corrupción en 10 proposiciones", en *Milenio,* 7 de septiembre de 2014.

Moreno, D., "Este texto es sólo para hombres", en *Animal Político,* 4 de abril de 2016.

Morris, S., y J. Klesner, "Corruption and Trust: Theoretical Considerations and Evidence From Mexico", en *Comparative Political Studies,* 2010, pp. 1258-1285.

Primera encuesta nacional de opinión ciudadana, México, GEA-ISA, marzo de 2016.

Raphael, R., *Mirreynato: la otra desigualdad,* México, Planeta, 2014.

Romero, V., P. Parás y E. Zechmeister, *Cultura política de la democracia en México y en las Américas, 2014: gobernabilidad democrática a través de 10 años del Barómetro de las Américas,* Vanderbilt University, Proyecto de Opinión Pública de América Latina, mayo de 2015.

Ruiz, L., B. Lavielle, D. de la Mora y O. Arredondo, *Índice latinoamericano de transparencia presupuestaria,* 6ª ed., México, Fundar, Centro de Análisis e Investigación, marzo de 2012.

Rule of Law Index 2015, Washington, World Justice Project, 2015.

Schwab, K., *The Global Competitiveness Report 2014-2015,* s.l., World Economic Forum, 2015.

Serdán, A., "La democracia sindical según la CNTE", en *Nexos,* 15 de mayo de 2013.

The Open Budget Survey 2015, Washington, International Budget Partnership, septiembre de 2015.

Ugalde, L., *La negociación política del presupuesto en México,* 1997-2012, México, Información y Tecnología para Asuntos Públicos, 2014.

Why Corruption Matters: Understanding Causes, Effects and How to Address Them, Glasgow, UK Department for International Development, 2015.

Zapata, A., *Opacidad educativa: los "Lupitos" hidalguenses,* México, Instituto Mexicano para la Competitividad, 2014.

Agradecimientos

Una lista interminable de personas y amigos nos ayudaron en la emocionante tarea de escribir el *Corrupcionario mexicano*. Lo hicieron de diversas maneras y en diferentes medidas, con opiniones, referencias, datos, ideas, investigación, pláticas y su apoyo personal y amistoso. Algunos editaron el estilo, otros apoyaron con la investigación. A todos ustedes les guardaremos siempre enorme gratitud y de antemano pedimos una disculpa si decidimos no incluir nombres. Ustedes saben quiénes son.

Ilustradores que participaron en el proyecto:

Mario Flores • Ros
Alecus • Chubasco
Ricardo Cucamonga • Gonzalo Rocha
Pico Covarrubias • Gerardo Romero
Rictus • Antonio Garci
Patricio Monero • Rapé
Penné • Camacho
Cintia Bolio • Helio Flores
Víctor Solis (Visoor)

ISBN: 978-607-314-820-7

Impreso en México – *Printed in Mexico*

Impreso en los talleres de Litográfica Ingramex S.A. de C.V.

Penguin
Random House
Grupo Editorial